新装备合同商保障费用预测技术

Technologies of New Equipment Contractors to Ensure Cost Prediction

史宪铭 路晓波 王卫国 程中华 王禄超 编著

U0262899

科 学 出 版 社

北 京

内 容 简 介

本书系统深入地介绍新装备合同商保障费用预测的基本概念、理论、方法和模型，主要包括新装备合同商保障费用预测的相关概念和影响因素，合同商保障模式和合同制定策略研究，合同商保障费用效能指标分析方法，基于单一产品和基于多产品的合同商保障费用预测模型，等等。本书充分借鉴了当前维修工程理论的最新成果，并结合了新装备合同商保障实践经验，兼具新颖性和实用性。

本书可以作为各级机关、军事院校、科研单位，以及战区部队人员学习新装备合同商保障费用预测理论与技术的书籍，也可以作为军民融合维修保障研究及教学方面的参考书。

图书在版编目（CIP）数据

新装备合同商保障费用预测技术 / 史宪铭等编著. —北京：科学出版社，2020.8

ISBN 978-7-03-065819-7

Ⅰ. ①新… Ⅱ. ①史… Ⅲ. ①武器装备-经济合作-费用管理-研究 Ⅳ. ①E144

中国版本图书馆 CIP 数据核字（2020）第 145550 号

责任编辑：马　跃 / 责任校对：贾娜娜
责任印制：张　伟 / 封面设计：无极书帐

科　学　出　版　社 出版
北京东黄城根北街 16 号
邮政编码：100717
http://www.sciencep.com

北京盛通商印快线网络科技有限公司　印刷

*

2020 年 8 月第　一　版　　开本：720×1000　B5
2020 年 8 月第一次印刷　　印张：6 1/2
字数：131 000

定价：68.00 元
（如有印装质量问题，我社负责调换）

前　　言

随着科学技术的不断发展和军事斗争准备的日益深入，大批新型装备陆续列装部队。如何对新装备合同商保障费用进行预测，是当前军地双方和规划计划部门关心的热点问题。本书是一部以军民融合深度发展为背景，借鉴国内外合同商保障实践经验，以新装备为立足点，以费用预测这一新装备合同商保障的瓶颈问题为牵引，在维修保障和管理决策相关理论研究的基础上，从工程实践角度，对新装备合同商保障费用预测中的系统分析、任务确定、费用效能指标、费用预测等内容进行深入研究的著作。

本书分为 6 章，分别是绪论、新装备合同商保障费用预测分析、合同商保障任务确定、合同商保障费用效能指标分析、基于单一产品的合同商保障费用预测、基于多产品的合同商保障费用预测，为新装备合同商保障费用提供理论和技术支撑，为合理确定合同费用、有效发挥军费效益提供理论基础。

第 1 章　绪论。该章介绍新装备合同商保障费用预测关键技术的研究背景、目的及意义；从合同商保障发展、保障模式和维修模型三个方面对国内外研究现状进行综述，并进行现状分析，确立本书研究方向，建立本书研究结构安排。

第 2 章　新装备合同商保障费用预测分析。该章从新装备、合同商保障、核心维修能力等方面，分析新装备合同商保障的相关概念；从要素、结构、功能、运行和环境五个方面对合同商保障进行系统分析；建立基于霍尔三维结构的合同商保障费用预测体系框架；对新装备合同商保障费用预测关键技术进行分析，明确本书主要突破口。

第 3 章　合同商保障任务确定。该章在提出合同商保障任务确定程序的基础上，对合同商保障任务确定流程进行分析；总结合同商保障的军地联合型、合同商辅助型、完全负责型三种保障模式，并进行比较分析；进行合同商保障任务形式与特点分析；基于理想点法，建立合同商保障任务方式确定模型；基于资源、财务、时间三个维度，对合同制定策略进行分析。

第 4 章　合同商保障费用效能指标分析。该章研究合同商保障费用构成，运用 ANP 方法，对合同商保障效能指标进行分析，确定影响保障费用的效益型影响因素；研究合同商维修工作量估算流程与算法；提出合同商保障费用影响因素，运用 ISM 模型对合同商保障费用影响因素进行分析；最终得出效益费用两方面费用预测的关键性指标。

第 5 章　基于单一产品的合同商保障费用预测。单一类型产品是一种常见的合同商保障类型，本书从单个产品和多个产品角度对其进行研究。针对单个产品，考虑不完全维修情况，运用改善因子对不完全维修进行描述；针对多个产品，考虑采用成组更换策略进行维修。分别建立基于改善因子的单产品不完全维修费用模型和可用度模型，并基于费用和可用度优化，对费用进行预测研究。

第 6 章　基于多产品的合同商保障费用预测。多种产品是在合同商保障复杂机构、部件或系统时可以采用的一种情况。针对多种产品，从产品故障之间是否有关联出发，可将其分为故障独立和故障关联两种情况。针对故障独立情况，探索采用分组机会维修策略，对维修费用进行考虑；针对故障关联情况，探索运用相关系数描述关联，对维修费用加以考虑。分别建立多产品费用模型、可用度模型和基于可用度优化的费用预测模型，并分别给出示例分析。

本书在撰写过程中，参阅并借鉴了相关专家学者和装备管理人员的观点、思路和研究成果，在文末参考文献中对其进行了说明。

新装备合同商保障费用预测问题是一个复杂的系统工程，由于作者水平有限，有些问题的研究深度还相对不够，书中难免存在不足，敬请各位读者批评指正。

作者

2019 年 10 月

目　　录

第1章 绪 论

随着中国特色军事变革发展和军事斗争准备推进，我军武器装备不断更新，装备保障需求大大增加，深入推进军民一体化战略成为装备保障建设的大势所趋。合同商保障作为军民一体化的重要组成，在新装备中将会发挥越来越大的作用。同时，新装备合同商保障作为一个新事物，也同样带来了一些新问题。一方面，当前新装备发展迅速，具有系统庞大、结构复杂、信息化程度高、专业性强的特点，目前的建制保障力量尚未掌握维修的核心能力，要想快速形成保障能力，对合同商保障需求明显；另一方面，当前针对合同商保障的理论研究不足、合同制定不尽合理、保障费用预测缺乏方法等问题还很突出，已经成为当前制约合同商保障的重要难题。

基于上述考虑，在充分考虑当前国内外合同商保障发展及研究现状的基础上，运用维修工程原理、系统工程和管理工程知识，针对新装备合同商保障费用预测中的关键技术加以研究，形成新装备合同商保障费用预测的体系框架，探索新装备合同商保障费用预测的方法，为合同制定和军费预算提供依据，从而为进一步把握保障能力生成规律、有效提高军费使用效益水平提供理论与技术基础。

1.1 相 关 概 念

1.1.1 新装备

新装备[1]是指已经研制定型并首次列装的高技术装备。从保障的角度看，新装备具有以下特点。

（1）技术先进，维修专业广。由于在研制生产新装备等过程中广泛采用新的技术、材料和工艺，维修中需要更加专业的知识，维修人员涉及的知识面较以往更加广。

（2）性能先进，保障要求高。由于新装备战技性能指标更加先进，在准确定位、快速反应、立体攻防、自动控制、抗击干扰等方面均有明显改进，这就要求在保障中具有更高的要求，修复标准尤其是调试要求要更高。

（3）结构复杂，维修难度大。由于新装备研制中运用的技术最为先进，装备结构日趋复杂，直接导致维修难度大，需要的仪器设备和设施更加精密，对维修人员的素质和维修管理水平要求更高。

（4）配套不全，器材筹措难。新装备在列装初期，对故障规律掌握不够，并且涉及的生产厂家和研制部门较多，导致器材配套供应体系不够健全，缺乏顺畅的器材筹措渠道，器材供应不足。

（5）造价昂贵，维修费用高。新装备性能高、造价昂贵，相应地，对维修人员、设备等要求也大大提高，直接导致其维修费用也处于较高的水平。

1.1.2　合同商保障

根据美军定义，合同商是指为军方提供产品或服务的公司或个人[2]。结合我军实际情况，合同商是指以军方需求为牵引，为军方提供装备保障产品与服务的承研、承制、维修、供应的地方企业。从来源上看，合同商主要包括承研承制企业、地方科研院所、维修工厂，以及其他社会力量等。

军队装备合同商保障，是指为达成更高的军事和经济效益，通过签订合同等方式，将保障任务委托给地方企业完成的保障方式[3]。合同商的保障范围包括装备维修、物资供应、交通运输、医疗卫生、军人住房、人才培养等。合同商保障业务主要有维修作业、技术培训、技术开发、远程支援、资源开发、器材储备、器材供应、运输配送、质量监控等。

1.1.3　核心保障能力

《美国法典》①给出的美军的核心维修能力，主要是指美国国防部为确保应对国防动员等紧急情况而需要军方具备的维修能力。军队通过保持核心维修能力，在需要时可以保证具有稳定、可控的技术能力和资源。美国陆军 AR750-1《陆军装备维修政策》[4]、国防部 DODI 4151.20《基地级维修核心能力判定过程》[5]、海军陆战队命令 MCO 4000.56《基地级核心维修能力的海军陆战队政

---

① 来源于 US Code. Title 10 Armed Forces Chapter 146-Contracting for performance of civilian commercial or industrial type functions . § 2464-Core Logistics Capabilities. section（a）. https://www.law.cornell.edu/uscode/text/10/subtitle-A/part-IV/chapter-146。

策》[6]也类似给出了相应的定义。

借鉴美军和我军对核心保障能力的基本认识，结合当前合同商保障实践，本书对核心保障能力的定义如下：为确保打赢信息化战争，军方建制力量必须拥有的遂行装备保障任务所需的关键能力。

该定义内涵主要有以下三个方面。

一是以军事任务为需求牵引。针对装备保障的需求牵引特征，核心维修能力必须反映军队执行军事任务时装备保障需求的变化特点和未来趋势，以需求牵引核心维修能力在质和量等方面的变化，牵引装备保障建设向正确的方向发展。

二是以新型装备为保障对象。目前对于老旧装备，军方已经具备相应的保障能力，保障经验丰富；而对于新型装备，大多刚刚列装部队，且技术先进、系统复杂，军方很难具备完全的保障能力，且完全依靠建制力量也很难在短期形成保障能力，这就需要把合同商纳入新装备保障中；但同时也要保证军方具备完成保障任务的关键和核心能力，这就涉及核心保障能力问题。

三是以建制力量为实施主体。新装备合同商保障虽然可以有效利用地方保障资源，但其目的是维持和提高军队建制力量的保障能力，因为核心维修能力的实施主体必须是军队建制维修力量。

1.2　国外研究现状

借助社会资源、依托合同商技术力量辅助军方开展装备维修保障是当前各军事强国的普遍做法[7]。

1.2.1　合同商保障发展

美军最早是在作战保障中借助合同商力量。在美国历史上，合同商在多次军事行动中一直发挥着重要作用。冷战结束后，随着以信息化为主要特征的新军事变革席卷全球，美军为了降低国防开支，大量缩减非作战部队，尤其是维修保障部队[8]。借助合同商力量开展的装备维修保障，在这一背景下迅速展开并得到大规模发展①。

通过多年努力，美军逐步建立起了实施和监督装备合同商保障的专门机构[9]。美军在《联邦采购法规》中第 46.701 节对合同商保障进行了定义，认为合同商保

---

① 来源于 Thomas D E. Contract management strategy for the 21st Century。

障是合同商和政府之间的约定[10]。1964 年美军在《装备服务订购法规》第 I-324 节包含了如何进行装备系统合同商保障的相关规定，之后美军定期更新其中的相关规定。尽管美军《装备服务订购法规》中涉及了指导合同商保障的相关条款，但这时合同商保障通常只被包括在通用商业产品的采购过程中。到了 20 世纪 60 年代末和 70 年代初，合同商保障作为保障作战装备性能、发现装备潜在缺陷的一种重要手段，受到了军方越来越多的重视。在海军采购 F-4 陀螺的合同中包含了无功能故障合同商保障策略（function free warranty，FFW），合同商保障期限为 1 500 小时或 5 年。之后空军在 ARN-118 战术空中导航系统采购合同中使用了可靠性改进合同商保障策略（reliability improvement warranty，RIW），合同商保障期限为 4 年。在这期间，合同商必须将 8 500 个系统的平均故障间隔时间控制在规定范围内，否则需要交付罚款。另外，美国国防部秘书办公室提出多种合同商保障策略，其中典型的策略为可靠性改进合同商保障和平均故障间隔时间合同商保障。这些合同商保障策略在 20 世纪 70 年代中期广泛应用在陆军 ARN-123 无线电设备和轻型多普勒导航系统、海军 APN-194 高度计和空军 F-16 的可更换单元等。随后，美国的海陆空各军种逐渐在装备的采购过程中开始注重合同商保障对装备性能维护的重要作用，并在装备采购中开始应用相应的合同商保障策略[11]。

到了 20 世纪 80 年代中期，《公共法》（Public Law）98-212 第 794 章国防拨款法案中规定了合同商保障对装备作战性能维护程度的要求，这一法案的重要作用是首次将军方承担的装备性能风险转移给合同商。之后美国国防部将合同商保障设为采购装备系统合同中的一个标准条款，在《美国法典》第 10 卷第 2 403 节中规定，对系统中单个单元有超过 10 万美元或装备系统总体采购价格超过 1 000 万美元的武器系统，在其采办过程中都必须制定相应的合同商保障策略①。《联邦信息化采购法案》对法典中的第 2 403 节进行了较小的修改。在一份国防部颁发的《国防联邦采购监管补充文件》第 246.770-1 中，不仅强调了合同商保障在武器装备系统采购中的相关规定，同时还给出一套指导方法和通用过程，将其用于确定政府购置资产、国外引进装备等单元的合同商保障内容和费用②。

美军装备合同商保障的提供方中不仅有主合同商，对于大型武器装备，还有分合同商。但在合同商保障中，一般情况下仅由主合同商负责，主合同商会根据合同商保障条款对分合同商提出相关服务要求。在实际操作过程中，军方可能会直接沟通，要求分合同商提供合同商保障活动，但这样做并不会减少主合同商在合同商保障中最终需要承担的责任。美军根据合同商保障目标将合同商保障分为

---

① 来源于 US Code. Title 10. 2403. Major weapon systems：contractor guarantees。
② 来源于 DFARS Subpart 246.7 Defense Federal a Acquisition Regulation Supplement on Warranties。

零故障合同商保障、基于期望故障次数的合同商保障、针对共性故障维护的合同商保障和零缺陷合同商保障；根据合同商保障条款将合同商保障策略分为可靠性改进合同商保障策略、考虑平均故障间隔期的合同商保障策略、考虑可用度的合同商保障策略和考虑后勤保障费用的合同商保障策略。随着美军降低国防开支、提高部队作战能力的需求日益增加，美军开始将大量装备保障任务交给合同商（以承研合同商为主）来完成[1]，实现从传统的"基于事务的保障模式"逐渐转变为"基于性能的保障模式"。

美军从 20 世纪开始就注重合同商保障在装备保障中的重要性[12, 13]，出台了很多法规指令来规范、指导合同商保障决策工作的开展，明确合同商保障过程中军承双方的责任义务等[14]，系统研究了装备合同商保障实施过程的经济效益[15]和军事效益[16]，并针对合同商保障绩效评估情况，提出了与性能挂钩的激励奖惩机制[17]。其中各军种较为典型的法规制度有以下几种。

美国陆军 AR 70-1《陆军采购策略》（Army Acquisition Policy）中规定了对装备合同商保障内容和效果的若干要求[18]。AR 700-139 《陆军合同商保障计划》（Army Warranty Program）提出了两级维修体制下的相关合同商保障术语，明确了所有非商业合同商保障的强制性要求，以确保合同商和军方各自的权益[19]。该法规的目的在于制定高效、低耗的装备合同商保障合同；减轻装备使用方的负担，提高使用者的满意程度；管控合同商保障执行过程，确保装备最大的使用效益；向合同商保障管理、执行、评估机构提供相关信息数据；标准化管理和执行合同商保障流程，实现其统一性。AR 702-3 提出了可靠性改进合同商保障策略，给出了相应的激励机制。美军认为在可靠性明显不足并有增长可能的情况下，使用可靠性改进合同商保障策略是有效的。

美国《海军部长指令》4330.17 中规定了海军合同商保障策略，该指令强调了海军装备使用合同商保障的目的是提高装备系统、子系统和单元的质量、可靠性和作战性能[20]。在合同商保障期间，所有产生的费用由合同商承担。对于海军海上系统司令部、海空系统司令部、空间和海战系统司令部，可以独立采购合同商保障。《海航系统上成组武器采购过程中合同商保障策略指导》（Navair Instructions 13070.7A-AIR3.6.1）规定了海航系统上成组武器系统的合同商保障是采购合同的重要组成部分，规范了合同中合同商保障的目标、策略和合同甲方的责任[21]。海军采购标准补充文件中 46.7 部分对海军装备的合同商保障策略进行了调整。海军陆战队规则 MCO 4105.2 在考虑海军陆战队作战特殊需求的基础上，规定了合同商保障中库存和后勤供应的相关规定。这些规定使得海军陆战队的装备合同商保障管理类似其现有的供应和维修程序。在美国空军方面，空军法规 AFR70-11

---

① 来源于 Thomas D E. Contract management strategy for the 21st Century.

指出，空军武器系统合同商保障必须能够使合同商确保装备质量和作战性能，并具有强制性。随着美军法规制度不断发展，与合同商保障相关的军事报告也逐渐增多。

1.2.2 合同商保障模式

国外合同商保障经过多年的发展，形成了多种保障模式，主要包括外包式、就地私有化、委托式、联合式、征用式和租用式等六种。

1. 外包式

外包式（outsourcing），主要针对非核心装备保障任务，是通过合同把任务整体外包给地方的一种保障模式[22]。美国国防部认为，军队只需要完成核心任务，而将所有不必要的尽可能外包。对于军方基地级维修外包问题，美军内部也有不同意见。美国武装部队角色和任务委员会反对核心系统的提法，建议所有装备基地级维修外包[23]。

2. 就地私有化

就地私有化（privatization in place），是指将军方设施转交或出售给企业，如芬兰部队将基地级维修任务全部外包给 MilLog 公司，同时将部分资源就地私有化。

3. 委托式

委托式保障（commitment），是指军队委托地方进行装备研制和维修保障工作，地方企业作为代理人，以军队的名义实施保障行为，如德国将任务委托给私营科研机构、高校和工业研究机构等。

4. 联合式

联合式保障（combination），指军方联合各种地方保障力量对武器装备实施联合保障。美军通过由建制基地、地方企业等组成的合作团队签订合同或谅解备忘录等，实行合同商保障[24]。

5. 征用式

征用式保障（expropriation），指军方依法征用地方的物资、土地、人力等资源，给予地方一定的补偿，进行装备保障。例如，在马岛战争中，英军半月内就征用商船 71 艘进行物资供应。

6. 租用式

租用式（hire），指地方企业通过签订租用协议，租用军队设施进行装备保障。

1.2.3　合同商维修模型

维修保障是合同商保障的主要形式。维修模型是合同商保障费用预测的基础。从维修类型看，维修模型主要包括修复性维修和预防性维修；从维修组成来看，分为单部件和多部件两种情况；从修复方式来看，包括完全维修、不完全维修、最小维修三类，如表 1-1 所示。

表 1-1　维修模型研究现状

维修类型	产品类型		修复程度	典型研究文献	研究目标
修复性维修	单部件		完全维修	Huang 等[25]，Wu 等[26]	费用
			不完全维修	Kallen 等[27]，Chien[28]	费用
			最小维修	Matis 等[29]	费用
	多部件	故障独立	—	Wee 和 Xue[30]	费用
		故障相关	—	○	—
预防性维修	单部件		完全维修	Chen[32]，Yeh 等[31]	费用
			不完全维修		○	—
			最小维修		○	—
	多部件	故障独立		○	—
		故障相关		○	—

注："○"表示未有研究文献；"—"表示不存在

1. 单部件（产品）修复性维修研究现状

单部件（产品）维修主要是对产品整体维修。Yeh 等[33]分析了故障率增加（increasing failure rate，IFR）时，基于工龄的更新免费更换维修（renewing free-replacement warranty，RFRW）策略下的产品费用模型，并对最优更换工龄进行了分析；Mamer[34]研究了一般故障分布下的免费更换和按比例维修策略下的短期和长期平均费用问题。Chien[28]针对可修复产品，基于相关成本最小，确定产品最优维修期。Huang 等[25]以分配效益最大为目标，研究了优化价格、维修期和可靠性权衡模型；Matis 等[29]针对非更新联合维修策略的可修复产品，面向平均效益、建立了产品最优价格模型；Liu 等[35]基于可修复产品，对维修期和可靠性进行优化研究。

2. 多部件（产品）修复性维修研究现状

多部件（产品）主要针对一个装备不适宜看成一个整体进行维修的情况，其研究更加贴近实际。Murthy 和 Nguyen[36]针对两部件系统，提出了有限时间域和无限时间域的费用期望模型，进而基于故障更换和条件维修策略，研究了期望费用问题[37]。Bai 和 Pham[38, 39]基于非齐次泊松分布过程，研究可修串联系统，考虑免费更换（free-replacement warranty，FRW）和按比例维修（pro-rate replacement warranty，PRW）策略，研究了其费用特性；Balachandran 和 Maschmeyer[40]运用马尔可夫方法，研究了三部件系统维修费用问题。

3. 预防性维修研究现状

预防性维修，是指为预防产品故障、消除故障后果的维修方式。预防性维修主要包括故障检查、定期完全维修和定期不完全维修等。Jack 和 Dagpunar[41]在 Chun[42]引入定期预防性维修基础上，采用修复如新假设，研究了最佳维修费用问题；Yeh 和 Lo[43]进一步改进模型，提出了达成预防性维修程度的计算方法。在优化维修期，Yeh 等[31]研究了定期更换策略下最小长期期望费用优化问题。文献[44]以产品长期平均费用率最低为目标，研究最优预防性维修策略问题，确定了最优预防性维修间隔期算法。

1.3　国内研究现状

当前，我军在改革大潮下将军民融合上升为国家战略，明确深入推进军民融合是我军的时代任务。在经济高速发展的今天，一些民企创新能力强、成果转化便捷，具有诸多装备保障技术优势，成为我军装备建设亟须引入的重要力量。装备维修保障建设作为装备建设中的重要内容之一，将优质民企力量融入我军装备保障系统中，解决我军装备维修保障能力不足问题、减轻部队装备保障负担已成为时代趋势。合同商保障力量在装备全寿命周期装备维修保障中的重要性逐渐增加。

1.3.1　跟踪研究方面

21 世纪初，我军就非常注重对外军合同商保障进行跟踪研究。文献[45]对美军合同商的保障内容、合同管理、平战时管理、法规制度、存在问题等方面进行了总结和研究；文献[46]对美军合同商保障研究情况进行了跟踪，明确了管理与预算办公室（Office of Management and Budget，OMB）政策备忘录、签订合同军官[47]、法规体系构成、应急合同干部[48]、保障风险分析等内容；文献[49]对欧洲主要国家的合同商保障进行了分析总结，对其基本情况、特点和典型应用案例进行了研究。

1.3.2 体系设计方面

合同商保障体系设计是合同商保障的基础。张英志[50]在系统分析我军以自我保障为主的保障体制特点的基础上，对军民一体化保障模式进行了分析和设计；刘军[22]则从经济学出发，建立了装备保障外包的经济学分析框架；邹小军[51]分析了军民一体化装备维修保障的前提和基础，构建了军民一体化装备维修成本收益模型。文献[52]对军民一体化装备维修保障相关研究进行了总结，推动了合同商保障研究的进一步发展。肖杰[53]根据未来信息化战争中装备保障任务，构建了信息化装备合同商保障的指导思想、基本要求和建设目标。

1.3.3 法规建设方面

在装备合同商保障中，根据《中华人民共和国国防法》和《中华人民共和国产品质量法》，我军制定了《武器装备质量管理条例》来加强对武器装备质量的监督管理，规定了合同商在进行研制生产和后续保障中需要承担的装备质量责任。2009 年，《关于进一步推进军民一体化装备维修保障建设工作的意见》发布。

在新型军械装备合同商保障方面，我军编发了《新型军械装备技术服务工作实施办法》，明确了合同商保障工作中各方职责、工作流程和技术要求，规定了新型军械装备合同商保障实施流程。有关合同商保障的国家军用标准主要有GJB/Z3—88《军工产品售后技术服务》、GJB5707—2006《装备售后技术服务质量监督要求》和 GJB 5711—2006《装备质量问题处理通用要求》等。

1.3.4 保障运行方面

目前，我军装备合同商保障通常是指订购合同中的初始合同商保障，在初始合同商保障期内，合同商可以对整个装备进行合同商保障工作，也可以针对单个的特殊部件或关键件进行合同商保障工作。初始合同商保障期主要由装备采购部门合同商保障决策人员根据专家经验或基于验收技术规范等方法进行分析确定。

一般典型通用装备的初始合同商保障期为 3 年，电子产品的初始合同商保障期为 5 年。在初始合同商保障期内，如果装备发生故障或质量问题，由军代室督促装备合同商无偿负责修复或更换[54]。针对超出初始合同商保障期或合同商停产的武器装备，各合同商到部队进行检修工作，提供相应维修器材。我军通过不断建设，初步实现了新型军械装备合同商保障"从无到有"，从"令出多门"到统一规范，逐渐搭建了"任务对接、规章制度、信息管理"三个平台，破解了技术服务工作"任务多元分散、工作界限不清、结算方式不一"三个技术难题，健全了"工作协同、质量监督、审价结算"三项工作机制，实现了我军现阶段合同商保障工作在规范化、标准化、制度化运行上的突破。

第 2 章　新装备合同商保障费用预测分析

要进行新装备合同商保障费用预测，需要进行新装备合同商保障费用预测分析，明确费用相关概念和影响因素。本章首先对新装备合同商保障相关概念进行剖析，其次对合同商保障系统进行研究，最后建立新装备合同商保障费用预测研究框架，为后续研究奠定基础。

2.1　合同商保障系统分析

合同商保障系统分析[55]是明确合同商保障研究问题的基础，可以揭示合同商保障系统的本质、内涵，剖析合同商保障系统的内在规律，界定装备合同商保障中存在的问题，明确合同商保障决策研究在合同商保障系统中的地位。为此，本节将从系统功能、环境、组成要素、结构和运行五个方面对合同商保障系统进行深入分析。

2.1.1　合同商保障系统功能

合同商保障系统的功能，就是利用合同商力量辅助军方完成现有装备维修保障任务，保持装备技术性能符合规定要求，使得军用装备能够应对多种安全威胁。按照合同商保障内容，可将合同商保障系统功能包含的内容概括为日常维护、平时修理、战场抢修、器材供应等。按合同商参与装备保障的形式，可将合同商保障系统功能包含的内容概括为巡检巡修（现场技术服务）、伴随保障、前线支援、后方支援、应急任务支援等。

日常维护（保养）是为使装备保持良好可用状态而定期进行的清洗、换油换水、油漆及补充燃料、润滑油、气体或液体等操作。一般情况下，装备平时的日常维护应由装备建制使用分队承担，合同商只负责装备初始部署阶段日常维护保养的指导、训练等工作。平时修理是对已发生故障或将要发生故障的装备系统、分系统、可更换单元等进行性能维护的一种维修活动，包括修复性维修和预防性维修两类维修工作。平时修理是影响装备战备完好性和任务成功性的关键因素，其费用也是合同商保障费用的重要组成部分。因此，合同商保障决策必须考虑平时修理方式的选择问题。战场抢修是保持战时装备作战性能的重要手段。演习、作战时，合同商可通过支援，来增强我军装备战场抢修的整体能力。器材供应方面，我军在实施合同商保障过程中，必须根据合同商参与装备维修保障的程度，规范合同商器材供应，增大保障部队的自主权和调控力度，优化器材备件储备格局，积极利用合同商先进物流管理技术和手段，最大限度地提高经济效益和军事效益。

巡检巡修是指在保修期内，由军方与合同商协调，在每年的一个固定时期内，组织合同商维修保障技术人员到部队处理质量问题或维护装备性能。巡检巡修是我军合同商参与装备保障的重要服务形式之一。在巡检巡修过程中，合同商不仅可以进行修复性维修，还可以根据装备的情况进行一定的预防性维修工作，协助军方做好装备延寿等相关维修技术工作。伴随保障是指在我军开展驻训、重大演习等活动中，合同商遂行部队进行保障，随时维护装备作战性能，进行质量问题处理。《中华人民共和国国防动员法》中，明确了合同商在进行装备伴随保障中的职责义务、保密义务等。在驻训、重大演习等活动中，根据合同商维修保障技术人员在战场环境中的地理位置，可将保修技术服务分为前线支援和后方支援。前线支援是指合同商跟随作战人员对前线运行或损坏的装备进行保障。后方支援是指将损坏装备运送到后方基地由合同商维修保障技术人员对其进行维护修理工作。应急任务支援是指针对平时或战时突发装备保障任务，调动装备合同商维修保障技术人员进行技术支援。例如，我军沿海警戒雷达突发技术故障，军方在其维修保障力量无法修复时，会调动合同商迅速开展装备维修工作。应急任务支援要求时效性，要求合同商具有及时的应急维修能力。

2.1.2　合同商保障系统环境

系统之外一切与之相关联事物构成的集合称为系统的环境。系统与其环境之间相互影响、相互支持、相互促进[56]。合同商保障系统的环境是实施合同商保障的外部条件和重要支撑，主要包括军内环境、国内环境、国外环境。

1. 军内环境

近年来，我军新装备结构复杂、技术难度日趋增加，仅依靠军方传统的维修保障体制已无法满足装备维修保障需求。与此同时，军方在"自成体系、自我保障"的维修保障模式中还存在一些问题，使得我军现有装备保障系统的规模优势难以转化为武器装备的保障能力；国防科技系统的科技和人才优势难以转化为军内装备保障能力。开展装备合同商保障时，我军装备维修保障的主体依然是部队装备维修保障力量。在运行合同商保障系统时，仍需以基层级和基地级为基本维修等级的维修保障体制。只不过在此大环境下，需将合同商的科技和人才引入装备维修保障系统中，辅助军方建设自身维修保障能力，统筹规划军方和承制方在装备维修保障中的责任与义务，以及装备维修保障资源建设，从而实现高效、低耗的军民融合式装备维修保障。

2. 国内环境

随着我国在经济建设和文化建设等方面取得了长足进步，国家拥有的装备保障资源更加雄厚，社会装备保障潜力更加巨大。随着我国市场经济实力不断增强，国防科技工业基础日渐雄厚，地方高科技企业迅猛发展，这些已成为我军推行合同商保障的坚强后盾和实力基础。目前，我国的车辆、船艇、工程机械等装备已形成以城市、集镇、交通要道为网点、集装备修理、器材储供、人才培训为一体的部署格局，社会保障机构逐步健全，这为合同商向我军装备提供合同商保障奠定了良好的基础。

3. 国外环境

随着当代科学技术不断发展和新军事变革不断深入，世界各国的军用技术与民用技术、军队保障与地方保障的结合程度和融合程度越来越深。无论是发达国家还是发展中国家的军队，都逐步趋同于合同商保障的政策取向[57]。美军在其整个历史中早已使用了合同商来支援军事行动，而且日益依赖合同商保障，充分认识到合同商优质技术是军队保障能力稳定的"倍增器"。日军目前已形成以装备承制企业为中心，谁生产、谁负责维修的军外维修体系。德军认为，地方力量支援是军队保障的"第二条腿"，明确只要军队军事能力不足，便可考虑将全部装备物资和器材的维修工作交给合同商来完成。芬兰依靠合同商负责陆军装备两级维修和备件供应，以及空军和海军特定武器系统的维修与备件供应。合同商的主要业务范围包括电子设备与系统维修、武器系统与车辆维修、物资供应服务、向海外任务提供保障等。

2.1.3　合同商保障系统组成要素

系统组成要素是系统的最基本成分，也是系统存在的基础[58]。合同商保障系统的组元主要有参与保修人员、用于合同商保障的维修设施、合同商保障设备、合同商保障工具、合同商保障备件、合同商保障法规制度等。上述要素又可分为主体和客体两类[59]。

合同商保障系统主体要素子系统，主要是指参与保修人员，包括军方参与保修人员和合同商参与保修人员。参与保修人员是合同商保障得以实施的决策力量、管控力量和依托力量。军方参与保修人员在合同商保障过程中的主要职能是进行合同商保障决策、协调、管理、监督、评估等工作。而合同商参与保修人员在合同商保障过程中的主要职能是参与合同商保障决策工作和操作执行合同商保障工作。可见，军方参与保修人员是实施合同商保障的管控力量，合同商参与保修人员是实施合同商保障的依托力量。而在合同商保障决策过程中，需要军方参与保修人员和合同商参与保修人员共同参与，进行博弈协商。

合同商保障系统客体要素子系统，主要是指用于合同商保障的维修设施、维修设备、维修工具、备件等，它们是合同商保障得以实施的重要物质基础。用于合同商保障的维修设施和维修设备是实施装备保修的重要物质依托，是完成装备保修的必备条件之一。若想实施合同商保障，就要充分考察、统一规划及使用军方和合同商的装备维修设施与设备，充分利用军方和合同商可作为装备合同商保障的现有设施，充分发挥装备合同商的配套设备优势，确保保修设施与设备实现科学统筹和综合集成，避免军方和合同商通用保障设施、设备的重复建设。用于合同商保障的维修工具与维修备件是装备保修的重要物质基础，是确保装备战备完好率、维护装备性能的重要保障。若想实施合同商保障，就要根据装备作战需求和军事任务要求，统一规划和调配维修工具与维修备件，要尽最大可能实现军方和合同商维修工具与维修备件的通用化、标准化和系列化。

合同商保障主体要素是开展合同商保障活动的基础力量，而主体要素发挥作用离不开客体要素的辅助。主体要素通过发挥其主观能动作用，对客体要素产生影响，如制定标准规范、规章制度等。合同商保障的客体要素是开展合同商保障活动的物质基础。若想客体要素发挥功能，必须得到主体要素的支持。这两大子系统相互耦合，构成了合同商保障的复杂动态结构。

2.1.4　合同商保障系统结构

合同商保障系统结构是指合同商保障系统内部各要素的相互关系和有机联系[60]。合同商保障系统的有效运行及其功能的实现与否，取决于其结构和关系的协调程度，而合理的合同商保障系统结构是顺利开展新型军械装备合同商保障的基础。合同商保障系统中的主体要素子系统结构需要明确自上而下的领导关系，构建从国家一级机关向地方逐级辐射的统一、分层的领导体制。本节试图构建装备合同商保障系统中的主体要素子系统结构，如图 2-1 所示。

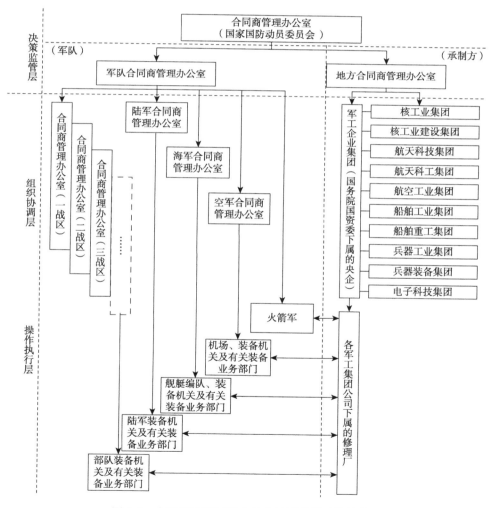

图 2-1　合同商保障系统中的主体要素子系统结构

从合同商保障系统中的主体要素子系统结构中可以看出，装备合同商保障涉及总部机关、军工集团公司、合同商、军区、军兵种部队各级军械装备业务部门和维修保障机构、军代表机构等不同单位，涉及的既有多层级的军方单位，又有多层级的地方合同商。这就会造成装备合同商保障工作方式差别较大，合同商保障标准不统一，服务绩效考评较难，从而导致装备合同商保障的决策、管理难度加大，保修效果不理想。

2.1.5　合同商保障系统运行

合同商保障系统只有良好运行，才能最大限度地发挥合同商在装备维修保障中的辅助作用，为我军装备维修保障带来应有的军事效益和经济效益。为使合同商保障系统科学、有效地运行，我军不仅需要建立合理的法规政策体系，提出一系列指导合同商保障工作开展的规范文件手册，还需建立良好的工作实施流程和信息交互机制，明确军队和合同商双方的职责权限和业务关系，构建有效的合同商保障管控机制，等等。与合同商保障相关的法规政策和规范文件手册为合同商保障提供政策引导、制度保证和管理约束，是实施合同商保障的根本保证。

除了需要相应的法规指导外，军方还需建立健全的工作实施流程和信息交互机制。我军在新型军械装备合同商保障工作实施流程制定和信息交互机制建立方面已展开了相应的探索，现行的新型军械装备合同商保障工作流程如图 2-2 所示。保证上述工作流程顺利进展的一个重要前提就是依托系统的合同商保障基础理论体系和具有指导性的合同商保障决策方法，要明确军队和合同商双方的职责权限和业务关系。保修基础理论来源于我军装备维修保障实践，是指导我军合同商保障实践逐步落实和不断发展的基石；合同商保障服务决策方法是界定军方和承制方各自在装备保障中应承担的任务，明确合同商在处于装备使用阶段尤其是初始保修期后时，在装备保障过程中的责任与义务的重要手段。然而目前我军尚未建立完整可行的合同商保障理论和方法体系，导致在合同商保障运行过程中，出现合同商保障决策无章可循、双方利益冲突明显、双方力量无法有效融合等问题。

可见，要想开展装备合同商保障理论和决策方法研究，必须着眼战争形态新变化，立足新型军械装备体系结构、技术特点和维修保障要求，对新型军械装备合同商保障的管理方法、服务类型、服务模式、训练机制等理论进行深入研究。要想构建具有工程指导价值的合同商保障决策方法，必须从定性和定量两个方面共同考虑，立足建制维修保障力量建设情况和合同商技术实力，综合考虑装备特性、故障规律等情况，合理确定装备适用的合同商保障模式和合同商保障策略。后续章节将对上述问题进行详细研究。

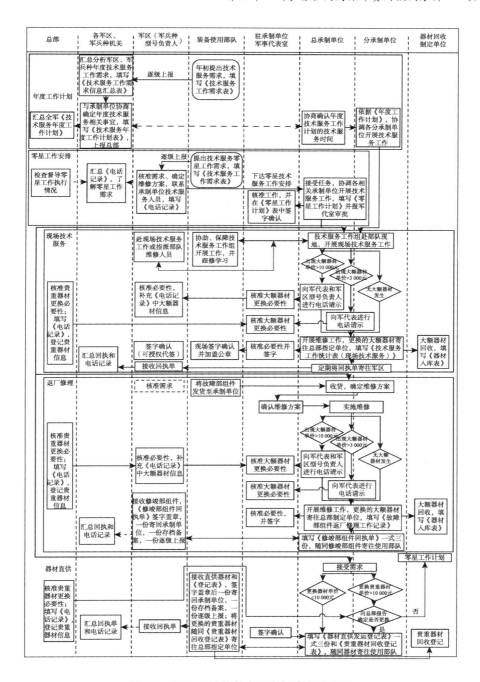

图 2-2　新型军械装备合同商保障实施流程

　　合同商保障管控机制是监控合同商保障系统低耗、高效运行的基本手段。要想推动合同商保障蓬勃发展，必须建立覆盖装备合同商保障各项内容和贯彻整个保修过程的管理系统，以确保整个合同商保障规范运行。军方作为管理合同商保障的主体，必须建立合理的合同商保障管控机制。特别是在合同商保障管理过程中，军方需尽量将合同商保障绩效定量化，才能从根本上保证顺利管控合同商保障。

2.2　基于霍尔三维结构的合同商保障费用预测体系框架

　　霍尔三维结构是解决硬系统问题的方法论。运用霍尔三维结构，建立合同商保障费用预测体系框架，可对合同商保障费用预测问题进行宏观规划和微观指导。在前述研究的基础上，本节建立基于霍尔三维结构的合同商保障费用预测体系框架，如图 2-3 所示。

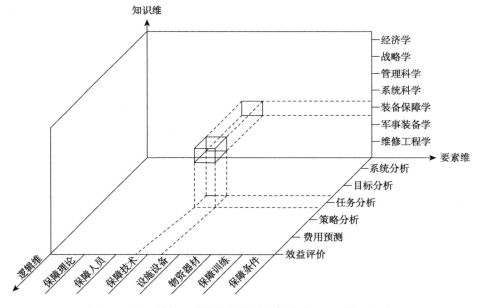

图 2-3　基于霍尔三维结构的合同商保障费用预测体系框架

　　基于霍尔三维结构的合同商保障费用预测体系框架主要由要素维、逻辑维和知识维三个维度组成。

要素维明确了合同商保障费用的主要构成和影响因素。新装备合同商保障费用主要由保障理论、保障人员、保障技术、设施设备、物资器材、保障训练、保障条件等部分构成。

逻辑维是在要素维的基础上，分析合同商保障费用预测中的逻辑程序，包括对合同商保障的系统分析、新装备合同商保障目标分析、合同商保障任务分析、保障策略分析、保障费用预测方法研究、效益评价等。

知识维明确了合同商保障费用预测所需要的知识和技术，包括维修工程学、军事装备学、装备保障学、系统科学、管理科学、战略学、经济学等多个方面的知识和技术。

2.2.1　合同商保障费用预测要素维

要素维是合同商保障系统涉及的诸多要素，主要包括以下几个部分。

1. 保障理论

理论是行动的先导。创建军民一体化装备维修保障理论，不仅是加快军事斗争装备保障准备的重要内容，也是未来能够顺利组织实施军事斗争装备保障的重要保证。当前，应加快发展具有中国特色的军民一体化装备维修保障理论，对其的研究不能停留在原有的研究水平上，必须着眼于适应新军事变革和信息化战争的需要，吸收借鉴外军军民一体化装备维修保障的成功做法，总结我军军民一体化装备维修保障实践经验，紧密结合军事斗争实际，突出创新，注意研究新情况、揭示新规律、创建新理论，在"新"字上下功夫。研究新情况，就是要研究在信息化战争条件下军民一体化装备维修保障中出现的新变化、新问题，研究现代战争装备保障的新特点，明确军民一体化装备维修保障的发展方向。揭示新规律，就是基于对装备保障新问题新规律的认识，总结出人们在军民一体化装备维修保障中必须遵循的客观法则。创建新理论，就是在正确认识装备保障新特点和规律的基础上，形成自己的、具有时代特色的新概念体系和新理论学说，并使这些新概念和新学说成为指导军民一体化装备维修保障实践的理论依据。

2. 保障人员

为解决当前我国国防后备力量建设所存在的装备维修保障专业分队少、高新技术装备保障力量高素质人才少、对口专业装备保障分队少等问题，国防后备力量建设必须着眼于高技术战争的要求，充分吸纳和积蓄各个领域的科技人才、高新技术装备保障人才，实现由人力动员、人力支前向科技动员、科技支前、科技保障的转变，建立装备专业技术支援保障分队。第一，要着眼技术储备、确定动员人才。从保障的技术出发，从机械、电子、通信等相关行业入手，将成套、集成的技术实体纳入动员。第二，要着眼未来诸军兵种联合作战的总体需求，在平时就形成各类专业支援保障力量要素齐全、重点突出的装备保障动员联合支援运行网络，以确保战时需要。第三，要把预备役装备保障力量纳入预备役部队建设计划，达成预备役装备保障的基本要求。

3. 保障技术

保障技术是装备保障所涉及的各种技术手段。要想快速形成新装备保障能力，必须充分发挥合同商能力，将军方和合同商进行有机整合，发挥合同商进行保障技术训练和技术革新的积极性，促使保障技术不断提高。

4. 设施设备

设施设备是装备保障的物质基础，设施设备往往修建于固定场所，也是一种在装备保障建设中投入较大的活动。设施设备可由合同商根据任务需要进行建设，也可在军方的支持下，有计划地进行建设。设施设备建设对于提高装备保障的便利性、强化保障能力生成具有重要的作用。

5. 物资器材

物资器材是装备保障过程中必不可少的消耗品。新装备部署到部队后，随装的物资器材往往与实际需要的器材在数量和品种上存在一定差异，往往存在许多部队急需的器材短缺或不足的情况。物资器材建设大大制约着平战时装备保障能力生成。我军需要不断地分析物资器材需求规律，建设科学高效的物资器材储备标准。

6. 保障训练

目前，军民一体化装备维修保障体系还处于逐步形成和不断完善的过程之中，还没有形成可靠的装备保障能力。因此，我们必须要高度重视军民一体化装备维修保障训练，增强危机意识、战备意识，通过组织军民一体化装备维修保障训练，切实提高军民一体化装备维修保障能力。一是要注重军民一体化装备维修保障的基础性训练。相关单位和人员必须根据新的训练大纲与新的训练内容和要求，熟悉和掌握部队装备保障的一般程序和方法，积极探索军民一体化装备维修保障的新特点和新规律，增强实施装备保障的基本功。特别是军民一体化装备维修保障指挥机构和指挥人员，要加强装备保障的组织指挥训练，不断提高军民一体化装备维修保障组织指挥能力。二是要强化民用保障力量的适应性训练。要组织军地力量的合训，通过与民用力量的合训，不仅可以迅速提高民用力量的军事素质，而且可以更加深入地了解和掌握民用保障力量的特点和能力，以便更好地确定战时各种民用保障力量可以担负的保障任务，避免使用的盲目性和随意性。三是要搞好现代战争装备保障的针对性训练。针对性训练，一方面可以提高军民的战备意识，使大家熟悉战时装备保障的任务、要求及保障的方式方法；另一方面可以检验现代战争装备保障预案，进而不断修改和完善保障预案，使其更好地满足军事斗争的需要。

7. 保障条件

为了更好地组织实施军民一体化装备维修保障，除了要搞好上述几个方面的工作外，还必须注意从更广泛的领域优化军民一体化装备维修保障的环境条件。一是加强军用标准建设，为民品军用提供基础；二是加强法规建设，形成军民一体化的法规基础；三是加强氛围建设，提高地方企业参与国防军队建设，参加装备保障的积极性；四是加强机制建设，将军民融合快速发展成可操作的具体行动。

2.2.2　合同商保障费用预测逻辑维

合同商保障费用预测的逻辑维反映了进行合同商费用预测研究的一般逻辑程序，主要包括以下六个部分。

1. 系统分析

系统分析为合同商保障费用预测提供现实依据和实现基础，包括以下几点：一是对合同商保障的国内外现状进行分析，借鉴主要发达国家在合同商保障中的先进理念和理论，为我军合同商保障提供支持；二是对当前合同商保障系统进行分析，即明确合同商保障的功能、环境、组元、结构、运行等要素，明确合同商保障费用预测的基本概念和内涵，掌握其主要影响因素；三是对合同商保障费用预测的基本方法进行分析，掌握当前合同商保障费用预测的方法和手段，为费用预测提供方法支持；四是对合同商保障的重点内容，主要是维修相关内容，如维修方式、维修管理、维修任务等运行实际进行分析，为合同商保障费用预测提供实现基础。

2. 目标分析

目标分析为合同商保障系统各要素发展提供指向，为费用预测提供基础。

要进行目标分析，需要做好以下几点：一是分析合同商保障下的装备保障目标，研究合同商保障所需达成的具体目标；二是对合同商保障力量组成、组织结构、部署配置等进行优化分析，明确合同商保障的建设目标；三是分析合同商保障的任务来源、任务结构、任务执行和保障方式，明确合同商保障的运转目标。

3. 任务分析

合同商保障任务分析，是指在保障系统分析和目标分析的基础上，研究设计合同商保障的地位作用和运用原则，判别和区分合同商保障力量和军方建制保障力量的不同作用，进而明确合同商和军方建制保障力量在装备保障中的具体保障任务。合同商保障任务分析是进行合同商保障费用科学定量预测的基础。只有在合同商任务确定的条件下，合同商保障费用预测才有依据和前提。

4. 策略分析

合同商保障中的策略分析，主要包括合同商运用策略，以及合同商在维修中为保持装备战备完好性所采取的维修策略，如视情维修，定期维修，维修中是采用更换策略，还是采用部件修复策略，是针对每个产品采取维修，还是将其作为一整批进行维修，等等。保障策略的优化，可以在达成一定的保障效能目标的前提下，使保障资源更加节省，消耗费用更加低廉，因此，保障策略的分析和优化是提高保障效能的重要环节。

5. 费用预测

费用预测是在前述分析的基础上，根据保障任务多少、保障资源建设情况、保障策略和保障效能要求，确定合理的费用的过程。所谓合理，并不是越少越好，而是能够达成军方、合同商双方满意，达成装备保障费用效益在最优的水平。费用预测的科学性在一定程度上依赖于保障规律掌握的情况。

6. 效益评价

效益评价是合同商保障费用预测的重要环节，其目的是针对采用特定合同商保障模式下的保障系统的整体效益进行评估，以有效掌握合同商保障下的保障系统水平情况。可见，效益评价是降低合同商保障风险的重要手段。同时，效益评价为实现装备保障能力的快速形成和有效发展提供方向指引，也为费用和效益的综合平衡提供基础。

2.2.3 合同商保障费用预测知识维

合同商保障费用预测知识维是合同商保障费用预测所需要的知识和技术，主要知识维要素的应用方向如下。

维修工程学可用于解决装备维修中的费用预测问题，考虑各种故障规律和维修工作，提高维修保障效能，为科学预测保障费用提供技术基础；军事装备学可用于解决军事装备发展趋势、保障装备和保障技术的发展等问题，为保障装备发展和军民融合保障提供引导；装备保障学可用于解决装备保障的关键问题，是装备保障费用预测研究的中心，为合同商保障费用预测提供具体指导和关键技术；系统科学可用于为合同商保障系统建设和统筹关系提供思想和方法指导，促使合同商保障方向正确、路线清楚、过程优化、效果满意；管理科学可用于解决合同商保障系统建设中的管理与决策问题，为科学建设合同商保障系统提供技术手段；战略学可用于确定合同商保障系统建设的战略目标和战略方向，使合同商保障系统建设科学有效，适应信息化战争发展需求，明确合同商保障费用预测的基础；经济学可用于解决合同商保障中的经费预算和优化，使合同商保障系统建设符合国家经济发展情况，使合同商保障费用预测更加符合军队建设实际。

全面掌握知识维涉及的知识和技术，有助于攻克合同商保障系统建设和合同商保障费用预测的关键难题，保证合同商保障系统建设更具有可行性和最优性。

2.3 新装备合同商保障费用预测关键技术分析

根据上述分析，本书主要针对合同商保障费用预测的以下关键技术展开研究。

1. 新装备合同商保障任务确定

明确保障任务是合同商保障费用预测的基础性工作，保障任务的确定不但制约着合同商保障范围的大小和规模，而且制约着武器装备战斗力生成速度，在不同时期、不同情况下，合同商保障的范围有所不同。综合考虑军方、合同商多方因素，关注合同商保障的效益要求，从而明确合同商保障任务的具体范围，是新装备合同商保障费用预测的基础。

2. 合同商保障费用分析

合同商保障费用不但包括维修费用，而且包括交易费用、执行费用等多方面的费用。要理清合同商保障费用构成，这些费用有些与任务量多少直接相关，还有些是与时间相关。掌握合同商保障费用构成和影响因素，明确其相互间关系和影响变化规律，才能对费用进行科学预测。

3. 基于单一产品的合同商保障费用预测技术

维修费用是合同商保障费用的主要组成部分。在新装备合同商保障中，有些保障针对数量单一、产品相对独立的部分。本书将之归结为单一产品情况，对基于单一产品的合同商保障费用进行预测研究。在研究过程中，主要考虑执行不完全维修和执行更换的完全维修两种情况，分别对这两种维修策略情况下的费用预测进行研究。

4. 基于多产品的合同商保障费用预测技术

在新装备合同商保障中，有些保障针对多个产品展开，对多个产品故障独立和存在影响两种情况分别加以考虑，从而形成基于分组机会维修和基于相关系数的多产品合同商保障费用预测方法。

第3章　合同商保障任务确定

合同商保障任务确定是合同商保障费用预测的前提和基础。本章主要针对合同商保障任务确定原则和方法进行研究，首先描述合同商保障任务确定程序，其次针对合同商保障模式、任务判断准则，以及合同商保障形式进行初步研究。

3.1　合同商保障任务确定程序研究

确定合同商保障任务，可以依照以下步骤进行。

1. 型号装备合同商保障模式分析

要进行合同商保障任务分析，需要明确装备合同商保障的具体模式。常见的合同商保障模式包括军地联building型、合同商辅助型和完全负责型等。要根据装备保障的具体情况和要求确定型号装备合同商保障模式。

2. 型号装备保障任务分析

进行型号装备合同商保障任务分析，需要明确装备维修任务，即通过进行装备组成结构分析，以保障方便为目的，一般按照功能结构或物理结构，确定装备划分；进而运用故障模式和影响分析（failure mode and effect analysis，FMEA），明确装备重要功能产品的功能和故障模式；然后采用以可靠性为中心的维修（reliability centered maintenance，RCM）逻辑决断，建立和规划装备预防性维修大纲[61]；最后进行维修工作分析（maintenance task analysis，MTA），确定装备维修工作步骤和资源需求。

3. 合同商保障任务选择决策

根据型号装备保障任务特点和合同商保障任务确定的基本原则，确定合同商保障任务。

4. 合同商保障形式分析

根据合同商保障任务和模式分析结果,确定合同商保障的具体形式,最终为签订合同商保障合同建立决策基础和依据。

3.2 合同商保障任务模式分析

根据合同商在装备维修保障过程中的参与程度,可将合同商保障分为三种模式:合同商辅助型模式、合同商与军队联合型模式和合同商完全负责型模式。开展合同商保障模式探索,明确合同商保障各方工作权责,规范合同商保障任务分工、工作流程和服务质量,可以从根本上推动合同商保障工作健康有序发展。因此,本节在合同商保障基本类型的基础上对合同商保障模式进行探索,从宏观层面明确合同商保障任务分工、各方工作权责等内容。下面对这三类模式进行详细分析。

3.2.1 合同商辅助型模式

合同商辅助型模式,是一种"军主民辅"的合同商保障模式[62]。在该模式中,合同商维修保障力量作为辅助保障力量,适当帮助军方进行装备维修保障工作,使军方尽快形成保障能力。装备合同商负责具体型号装备系统的综合集成、调试、试验、运行等工作,这使得合同商的技术资源优势明显,专业技术人员具有丰富的保障经验和较强的技术能力,可为装备维修保障工作提供有力的支持和帮助。在合同商辅助型模式中,军方保障力量是装备服役期间各项保障工作的主体。军方保障力量只有在无法承担装备某分系统或关键件的保障任务时,才利用合同商力量完成装备保障任务或帮助其形成相应维修保障能力。随着军方保障能力的形成和提高,合同商辅助作用逐渐减弱,当军方保障力量能够独立进行装备维修保障时,合同商不再对其提供辅助。

在合同商辅助型模式中,需要坚持军方主导的基本原则,依托合同商开展资源帮建、装备帮修、人才帮训。资源帮建,是合同商利用自身人才和技术优势,根据军方对新装备保障需求,帮助军方开发保障资源、建设保障设施。装备帮修,就是由合同商独立承担或协助军方完成部分修理任务。人才帮训,就是合同商技术人员利用熟悉装备结构、功能等优势,帮助军方培养装备维修骨干。

3.2.2　合同商与军方联合型模式

合同商与军方联合型模式适合难度大、任务重的维修保障任务和需要维修技术改进的研究项目，该保修模式可以充分发挥军承双方的优势和特长，使双方共同完成某项或多项维修任务，如图 3-1 所示。合同商与军方联合型模式的实质就是将部分装备维修保障任务交给合同商，借助合同商的技术力量，缩减军队保障人员规模。合同商与军方联合型模式可以帮助军方将更多的精力用于作战能力训练和提高，真正实现军方与合同商在维修保障组织、维修作业流程和保障资源各方面的有机深度融合。随着军方保障能力的形成和提高，合同商辅助作用不会减弱，军方保障力量和合同商保障力量共同负责装备维修保障工作。

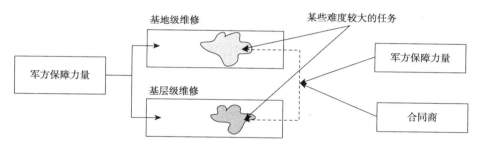

图 3-1　合同商与军方联合型模式

这种合同商保障模式对于保障一些含高新技术的新装备是十分有效的，因为该模式能在满足部队需求的基础上充分发挥合同商的能力。对于一些老装备，军方也可适当将部分装备维修保障任务外包，以减轻军方维修保障人员的工作负担。美军在战斗机维护过程中，会将一些老型号的飞机交由合同商负责，促使现役的维修保障人员尽快具备新型号战斗机维修保障能力。

3.2.3　合同商完全负责型模式

合同商完全负责型，是指军方在有限的装备保障经费约束之下，为提高装备保障效能、战备完好性水平和自身作战能力水平，将装备大部分维修保障活动完全交由合同商负责。采用该保修模式可以依托合同商的优质技术资源，降低装备维修保障成本，提升军队战斗力[63]。合同商完全负责型相当于维修外包，即部队将维修工作作为一个非核心工作外包给合同商[64]。

在合同商完全负责型模式中，合同商全权负责保持装备具有一定的使用可用度，而不是负责装备的全部维修保障任务。在合同商完全负责型模式中，军方建制保障力量只负责简单的维护保养任务，其他工作均由合同商负责。对于合同商完全负责型模式，一般在装备的研制过程中就确定装备合同商为将来的维修保障主体，或者明确了装备合同商负责主要的维修保障任务。一般通过装备订购一揽子合同（图3-2）的方式实现合同商完全负责型模式。

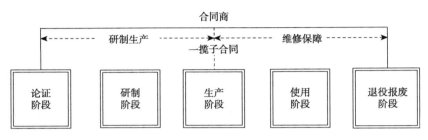

图 3-2 装备订购一揽子合同

合同商完全负责型模式可以促使合同商在装备研制阶段就重视装备可靠性、维修性和保障性，激励合同商通过提高设计质量和生产质量来提高装备的固有特性，从而降低装备全寿命周期保障费用。与此同时，该模式可以帮助合同商更方便、更全面地建设装备使用、维修数据库，以掌握装备故障规律，使得合同商在装备改进中"有的放矢"，不断提高装备可靠性、维修性和保障性设计。实施合同商完全负责型模式可以充分调动装备合同商的积极性，提高装备全寿命全系统保障质量[65]。

不同保障模式优缺点，如表3-1所示。

表 3-1 不同保障模式优缺点比较

保障模式	优点	缺点
军方独立保障	使军方可保持足够的保障能力和水平	需要维持一支庞大的维修保障队伍；资源重复建设
合同商辅助型	军方可借助合同商的技术力量，具有足够的维修能力和水平	需要维持一支庞大的维修保障队伍；资源重复建设
合同商与军方联合型	使军方在适当规模和水平上维持保障能力，为合同商增加盈利业务，促使合同商发展壮大	需要花费精力确定军方需要保有的维修能力，管理合同商人员上有一定难度
合同商完全负责型	降低保障费用，增强军方灵活性，增加了合同商业务，有助于合同商稳固基础	部队自我保障能力缺失，战备水平下降，战时和紧急状态下保障能力弱

3.3 合同商保障任务形式与特点分析

作为军方来讲，哪些任务可以由合同商进行保障，是一个重要的问题。这受到装备的技术难度与技术构成、现有装备数量及其分布情况、所需技术的军地通用程度、装备维修保障具体特点等的影响。如何根据装备情况对合同商保障任务进行判定？这是合同商保障任务判断准则问题。下面对合同商保障任务判断准则进行分析。

根据合同商保障的具体特点，装备保障模式主要有军队独立保障、军地联合型、合同商辅助保障、完全负责型等。装备合同商保障设计分析首先从独立保障条件判断，如果不符合军队独立保障条件，则查看装备是否满足联合型保障条件。按照此思路，形成判定装备保障模式的具体流程，如图 3-3 所示。

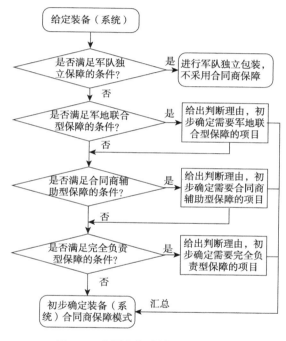

图 3-3　合同商保障模式判定流程

进行装备合同商保障模式分析，应该根据装备的具体构成，首先分析装备构成结构，按照"装备系统→分系统→设备→组合→……"的顺序逐一分析。

3.3.1　军队独立保障任务特点

军队独立保障主要要求军队现有装备保障能力与装备保障所需能力基本匹配。这时实行军队独立保障则具有足够的可靠性和经济性。军队独立承担保障的任务一般包括：①一直由军队自主保障的旧式装备，以及技术性能和原有装备所需保障技术变化不大的新装备；②军队在现有能力下，能够自主保障或拥有成熟保障技术的新装备；③军方有先期同类装备保障能力。

之所以实行军队独立保障装备，主要是由于军队对这些装备的保障可以充分利用到军内现有维修保障设施、设备、资料、器材、备件等资源，避免现有资源重复建设，有利于确保军事和经济效益，提高现有装备维修保障设施、设备的利用率。尤其是在当前很多装备上，军队拥有较强的能力基础，以军队当前的修理能力为基础抓建设，易于协调承研单位保障资源开发和人员技术培训，快速形成装备维修能力。

3.3.2　军地联合保障任务特点

军地联合保障任务，主要包括维修技术改进研究，或者难度大、任务重的复杂新装备保障任务。军地联合保障任务主要基于以下判断标准。

（1）装备复杂、保障难度大的任务。主要从装备的复杂程度、技术难度来看，装备组成复杂、系统庞大、技术先进，且随装备发展，装备保障系统需要不断升级，状态变化频繁，同时系统需要不断改进，为适应新形势的发展，装备软硬件更新升级成为装备在使用期的常态。

（2）装备问题突出、软件保障要求高的任务。主要从维修保障技术难度来看，在新装备部署部队初期，装备对新环境适应要求高，先期适应性问题不断涌现，软件问题复杂多样，发生问题后，需要从软件设计源头出发，发现和解决问题必须依靠对软件技术开发进行分析改进，通过源代码重新编制、不断修改 bug（漏洞）等方式来实现。

（3）保障难度大、军方和合同商均不具备独立保障能力的任务。主要从维修保障主体来看，由于保障难度大，军方和合同商在当前都不具备独立保障该任务的能力，并且短期也不具备形成独立保障的能力。只有双方加强合作、发挥双方各自优势，才能完成保障。

（4）保障空间跨度大，军方和合同商保障资源配置分散的任务。主要从装备空间部署的角度考虑，由于装备配置分散、装备多、保障空间跨度大，需要大量的保障资源部署。这种任务单独由军方或合同商进行保障，需要较多不必要的投入。

3.3.3　合同商辅助完成保障任务特点

合同商辅助完成保障任务，就是以军方为主体进行保障，由合同商采取"帮建、帮修、帮训"等行为的任务。合同商辅助完成保障的任务，主要目的是确保军方尽快成系统成建制形成作战能力和保障能力，充分利用合同商的人力、技术、资源等多方面优势。合同商通过签订技术支援合同和器材保障合同，为军方提供资源技术支持、服务指导和帮建帮训，使部队在短时期内快速形成新装备保障能力。合同商辅助完成保障任务主要具备以下几个方面特点。

（1）装备技术难度高，军地通用性强。从装备复杂性和通用性方面考虑，首先是装备复杂、技术先进、保障专业跨度大，并且装备保障所需技能具备较好的军地通用性，同时拥有较为一致的保障技术标准，使军地都能达到一定的保障水平。

（2）军方保障能力不足，但能在合同商帮助下迅速提高。从军方保障单元考虑，部队对新装备保障有一定能力，但不能达到保障要求，距离保障标准有一定差距，同时具备一定的提升空间，可以通过合同商辅助等形式达到保障要求。

（3）型号批次少、批量大，且部署较为广泛，能够高效达成保障的效益。

（4）装备列装数量多，容易形成规模效应的保障任务。由于装备列装数量多，且军队已经具备一定的保障能力，从保障能力建设的角度考虑，投入物力、人力来建设更高等级保障能力，可使保障任务具有规模效应，投资收益相对较大。

针对当前军方现有装备的技术特点和保障需求，根据上述对保障任务的分析，并依靠合同商的技术支援，快速形成军方保障能力，是新装备保障能力形成的重要途径，也是军方保有核心维修能力的基础。

3.3.4　合同商完全保障任务特点

合同商完全负责保障任务，即由合同商完全负责，军方除了基本的保障外，不参与具体的保障事务。由于合同商往往具有相对独立的工作环境，并不适宜负责装备的日常维护、一般简单故障排除、日常小中修维修任务，而更适合较高等级的保障任务。在任务中，往往有较高等级的保障任务，由合同商完全负责。合同商完全负责任务主要有以下特点。

（1）装备复杂且军地通用性强。从装备特性来说，一是系统复杂、组成较多、专业跨度大、涉及领域多、技术含量高；二是保障涉及的专业知识具备较好的军地通用性，保障方法、技术标准、检验方法具有较高的一致性。

（2）装备多型号、小批量。从装备部署上看，一是装备的型号和批次多，每批装备只有较小的区别；二是从每个型号和批次看，其列装数量较少，每个型号数量少且分布广。

（3）军方不具备保障能力而合同商具备。从维修保障能力上说，一是由于新装备部署时间短，部队短期形成保障能力难度较大；二是合同商具备相应的维修力量和能力；三是保障能力可获取性强，因而不需要军方将其作为核心能力而必须形成。

（4）形成保障能力费效比高。从保障能力建设的经济性考虑，由军方形成装备保障能力的任务投入巨大、周期长、难度大、效益低。

对于确定为合同商完全负责保障的任务，为了确保这类新装备快速形成保障能力，可在订购时与承研合同商签订基于性能的合同，构建以军方为主导、以承研承制方为主体、以合同商为龙头的保障形式。

3.4　基于理想点法的合同商保障任务方式确定模型

以上述不同合同商保障任务方式和特点分析为基础，基于隶属度算法，对某一装备任务进行定量分析，从而为科学确定合同商保障任务建立基础。

3.4.1　面向合同商保障任务特征参数分析

要想针对特定装备保障任务，判定其应该采用何种合同商保障方式，应该对合同商保障方式进一步分析。针对不同的合同商保障方式特点，提取了下面六种参数对其特点进行描述。

1. 新装备保障能力延续性要求

由分析可知，军队独立保障对新装备保障能力延续性要求高；军地联合保障对新装备保障能力延续性要求低；合同商辅助保障对新装备保障能力延续性要求低；合同商完全保障对新装备保障能力延续性要求低。

2. 军方现有保障能力满足程度

由分析可知，军队独立保障需要军方现有保障能力满足程度为高水平；军地联合保障需要军方现有保障能力满足程度为中等水平；合同商辅助保障需要军方现有保障能力满足程度为低水平；合同商完全保障需要军方现有保障能力满足程度为低水平。

3. 军方保障能力提升空间

由分析可知，军队独立保障要求军方保障能力提升空间小；军地联合保障要求军方保障能力提升空间小；合同商辅助保障要求军方保障能力提升空间大；合同商完全保障要求军方保障能力提升空间小。

4. 装备复杂程度

由分析可知，军队独立保障要求装备复杂程度低；军地联合保障、合同商辅助保障、合同商完全保障则在装备复杂程度高的情况下采用。

5. 保障能力核心程度

由分析可知，军队独立保障要求保障能力核心程度高；军地联合保障要求保障能力核心程度中；合同商辅助保障要求保障能力核心程度高；合同商完全保障要求保障能力核心程度低。

6. 合同商保障能力满足程度

由分析可知，军队独立保障要求现有状态下合同商保障能力满足程度低；军地联合保障要求现有状态下合同商保障能力满足程度中；合同商辅助保障要求现有状态下合同商保障能力满足程度中；合同商完全保障要求现有状态下合同商保障能力满足程度高。

对于某种保障任务到底适合上述四种保障方式中的哪一种，则可根据上述新装备保障能力延续性要求、军方现有保障能力满足程度、军方保障能力提升空间、装备复杂程度、保障能力核心程度、合同商保障能力满足程度六个方面进行分析。具体合同商保障方式和各指标的对应关系如表 3-2 所示。

表 3-2　合同商保障方式和各指标的对应关系

保障方式	新装备保障能力延续性要求	军方现有保障能力满足程度	军方保障能力提升空间	装备复杂程度	保障能力核心程度	合同商保障能力满足程度
军队独立保障	高	高	小	低	高	低
军地联合保障	低	中	小	高	中	中
合同商辅助保障	低	低	大	高	高	中
合同商完全保障	低	低	小	高	低	高

3.4.2　基于层次分析法的合同商保障任务特征参数权重计算

层次分析法（analytic hierarchy process，AHP）是一种通过确定指标之间两两比较后的相互重要程度，构造比较判断矩阵，进而计算得到指标整体权重的方法。可以把专家的定性分析转变为定量计算，以提高对合同商保障任务特征参数重要程度分析的科学性。

选用 1-9 标度法，即将因素两两比较重要程度，"同等重要""稍微重要""明显重要""强烈重要""极端重要"对应标度为 1、3、5、7、9，若在相邻两个标度之间，则分别为 2、4、6、8。相应的反向对比则为标度的倒数。

经权威专家对新装备保障能力延续性要求 A_1、军方现有保障能力满足程度 A_2、军方保障能力提升空间 A_3、装备复杂程度 A_4、保障能力核心程度 A_5、合同商保障能力满足程度 A_6 进行两两判断，得到判断矩阵为

$$A = \begin{bmatrix} 1 & 1/2 & 3 & 5 & 1/3 & 5 \\ 2 & 1 & 5 & 9 & 1 & 7 \\ 1/3 & 1/5 & 1 & 3 & 1/5 & 3 \\ 1/5 & 1/9 & 1/3 & 1 & 1/9 & 3 \\ 3 & 1 & 5 & 9 & 1 & 9 \\ 1/5 & 1/7 & 1/3 & 1/3 & 1/9 & 1 \end{bmatrix}$$

上述矩阵的最大特征值为

$$\lambda_{max} = 6.253\,5$$

$$CI = \frac{\lambda_{max} - n}{n - 1} = \frac{6.253\,5 - 6}{6 - 1} = 0.050\,7$$

$$CR = \frac{CI}{RI} = \frac{0.050\,7}{1.24} \approx 0.040\,9 < 0.1$$

所以判断矩阵具有满意的一致性，求得的结果是可信的。

最大特征值对应的特征向量归一化，得

$$\boldsymbol{p} = (0.168\,3 \quad 0.323\,4 \quad 0.077\,6 \quad 0.040\,6 \quad 0.360\,8 \quad 0.029\,4)$$

即新装备保障能力延续性要求 A_1、军方现有保障能力满足程度 A_2、军方保障能力提升空间 A_3、装备复杂程度 A_4、保障能力核心程度 A_5、合同商保障能力满足程度 A_6 对应权重分别为 0.168 3、0.323 4、0.077 6、0.040 6、0.360 8、0.029 4。

3.4.3　基于理想点法的合同商保障方式确定方法

判断某项任务应该采用何种合同商保障方式，可以采用任务特征与各种合同商保障方式的理想特征的接近程度来分析。如果某项保障任务符合某种合同商保障方式，则其特征指标与该方式的理想特征指标非常接近，也就是说，两者之间的广义距离最短。理想点法是根据保障任务与理想化目标的接近程度，判断两者符合程度的方法。利用理想点法，主要采取以下步骤对某一保障任务的合同商保障方式进行确定。

1. 由专家判断保障任务的基本属性

通过专家判断，确定新装备保障能力延续性要求、军方现有保障能力满足程度、军方保障能力提升空间、装备复杂程度、保障能力核心程度、合同商保障能力满足程度六个参数的指标值。按照"高"对应 9，"低"对应 1，"中"对应 5，进行打分判断。

2. 计算保障任务属性与理想值的加权距离

首先，明确各保障方式理想点如下：
军队独立保障理想点 S_1^+：

$$S_1^+ = (9,9,1,1,9,1)$$

军地联合保障理想点 S_2^+：

$$S_2^+ = (1,5,1,9,5,5)$$

合同商辅助保障理想点 S_3^+：

$$S_3^+ = (1,1,9,9,9,5)$$

合同商完全保障理想点 S_4^+：

$$S_4^+ = (1,1,1,9,1,9)$$

其次，计算保障任务到各理想点的加权距离。假设保障任务 i 的各个指标值为 $m_{i,k}(k=1,2,\cdots,6)$，计算保障任务 i 到理想点 j 的加权距离 L_{ij}：

$$L_{ij} = \sqrt{\sum_{k=1}^{6} a_k \left(M_{i,k} - S_{j,k} \right)^2} \qquad (3\text{-}1)$$

其中，$a_k (k=1,2,\cdots,6)$ 为保障任务的六项指标对应的权重值。

3. 计算保障任务 i 对理想点 j 相对贴近度 C_{ij}

贴近度一般是以到负理想点距离除以到正理想点和负理想点距离和，得到的商来计算，按照此原理，提出保障任务 i 对理想点 j 相对贴近度 C_{ij} 的计算方法为

$$C_{ij} = \left(\sum_{k=1}^{4} L_{ik} - L_{ij} \right) \Big/ \sum_{k=1}^{4} L_{ik}, j \in 1,2,3,4 \qquad (3\text{-}2)$$

4. 保障任务 i 的合同商保障方式确定

按照上述计算方法，即可得到保障任务 i 与四个合同商保障理想点的贴近度。选择最大的贴近度对应的保障方式，即为保障任务 i 的合同商保障方式。

当然，实际的合同商保障方式确定还需要根据军方负责保障任务占军队整体保障任务比例进一步调整。

3.4.4　示例分析

假设某项维修保障任务，通过征询来自部队、院校和主管部门的三个专家，对该保障任务进行评分，分数分别为，（4，2，6，7，5，8）、（1，3，5，9，7，7）、（5，3，5，7，5，7）。

将三个专家数据进行平均，得到保障任务各指标属性值为

$$（3.33，2.67，5.33，7.67，5.67，7.33）$$

利用式 $L_{ij} = \sqrt{\sum_{k=1}^{6} a_k \left(M_{i,k} - S_{j,k} \right)^2}$，计算保障任务到各理想点的加权距离为

$$L_1 = 5.45$$
$$L_2 = 2.37$$
$$L_3 = 2.57$$
$$L_4 = 3.08$$

利用 $C_{ij} = \left(\sum_{k=1}^{4} L_{ik} - L_{ij} \right) \Big/ \sum_{k=1}^{4} L_{ik}$，计算保障任务对各个合同商保障方式的贴近度为

$$C_1 = 0.60$$
$$C_2 = 0.82$$
$$C_3 = 0.81$$
$$C_4 = 0.77$$

可见

$$\max \left\{ C_j \right\} = C_3$$

由分析知，该保障任务最适合合同商辅助保障方式。但同时也可以看到，该任务与军地联合保障方式贴近度也较为接近，因此，在实际保障任务方式确定中，也可以考虑军地联合保障方式。

3.5　合同商保障中的合同制定策略分析

在合同商保障中，根据不同情况，需要制定不同的合同，下面对合同制定策

略进行分析。

3.5.1　基于资源维度的合同策略

要进行合同商保障,需要在合同上体现出核心与非核心的层次性。核心维修能力是指为确保打胜仗,军方必须具备的完成装备保障任务所需要的能力。在合同制定时,军方应根据维修任务核心程度采取不同层次的外包策略。

基于核心能力考虑,根据合同商保障出发点,从资源维度看,合同策略划分为战略外包和战术外包两种。

1. 战略外包

战略外包主要是指军方从发展角度出发,将许多传统认为应由建制维修保障机构承担的核心业务通过协议或合同转交给合同商承担。战略外包把合同商从临时性的外包关系发展到战略层次,需要严格控制和重点管理。

2. 战术外包

战术外包主要是指军方将非核心业务或者非核心资源交给合同商负责[45]。其主要目的是减少成本、获取内部缺乏资源、改善保障能力等。由于战术外包涉及的主要是非核心资源或者业务,其控制要求要远低于战略外包。

3.5.2　基于财务维度的合同策略

从财务角度来看,可将合同商保障分为完全外包、选择性外包和完全内制三种。

1. 完全外包

完全外包,即军方在保障过程中,不参与合同商保障过程控制,仅仅关注结果。这样可以简化管理,明确合同边界,有效减少纠纷,并且有利于合同商独自开展工作。完全外包主要适用于重要程度低、要求时限松、业务边界明显、结果容易判断的装备维修活动。

2. 选择性外包

选择性外包是军方与合同商共同管理业务的形式。选择性外包既要关注结果,也要关注过程,主要适用于军方装备维修技术能力缺乏、由于结果难以衡量而需要强化过程控制的情况。

3. 完全内制

完全内制是指完全由军方管理控制的形式，主要由军方计划、管理，通过人员外聘等形式进行资源引进。完全内制主要适用于军方拥有足够的保障能力，但是仅缺乏部分能力的情况，这种方式往往利用全过程控制。

3.5.3　基于时间维度的合同策略

从时间维度来看，合同商保障主要分为长期、中期和短期三种合同策略。长期外包是指合同期限在五年或五年以上的合同商保障；中期外包是指合同期限在一年以上五年以下的合同商保障；短期外包是指期限在一年以下的合同商保障。

1. 长期外包

通过长期外包，可以充分利用合同商的专长和优势，改进装备保障效果、提高装备保障效率和效能。长期外包要求军方与合同商建立战略合作关系，同时，长期外包比短期外包更具有一定的风险，这就要求军方在选择合同商时，更多要从信誉和合同商的实力出发，而不能仅仅关注价格等因素。

2. 中期外包

中期外包主要体现在较低层次，针对短期的装备保障需求变化调整而展开的合同行为。当保障需求增加时，军方建制保障机构难以满足装备保障的需求，就需要进行保障业务外包；而在需求减少时，可继续由军方建制力量进行保障。可见，中期外包的风险相对于长期外包较小。

3. 短期外包

短期外包主要适用于短期、非常规的保障任务，仅在军方建制维修力量保障能力不足时采用。短期外包也可以考察合同商实力情况，为建立中期外包候选做一定的准备。

第4章　合同商保障费用效能指标分析

预测新装备合同商保障费用，需要对合同商保障费用的构成和计算加以分析，从而为形成合同商保障费用预测模型建立基础。本章以外场可更换单元、部件（统一称为产品）为基本单位，对费用的基本构成和计算方法进行研究，并分析影响合同商保障效能和费用的主要因素，通过确定因素间关系，找到关键因素，为进一步建模提供基础。

4.1　合同商保障费用分析

4.1.1　合同商保障费用构成

合同商保障主要以合同形式实现。合同商保障费用则是军方在进行合同商保障过程中的资源及费用的总和。按照合同制定及执行角度，合同商保障费用主要包括前期费用、中期费用和远期费用三部分。

前期费用主要是军方对保障条件分析并决定业务外包的费用，也是需求性分析费用，包括由军方对部队、合同商维修保障能力现状的分析和评估，以及合同商对军方利弊的预期等产生的费用。该部分费用发生在合同商保障前期。

中期费用包括交易费用、合同执行费用和过渡期费用。交易费用包括军方寻找合同商、招标、签合同等费用；合同执行费用是按合同价格付给合同商的保障费用，是由合同中规定合同商向军方提供保障服务相应的总价款；过渡期费用是不同维修方在转换过程发生的费用，如建制力量剥离、设施设备转移、原有人员安置等费用。

远期费用是开展合同商保障相关的活动费用，包括管理监督费用、重新签订合同费用、转换费用等。管理监督费用是军方为保证合同商保障质量符合标准而进行监督活动发生的费用；重新签订合同费用是由于合同期满与合同商续签合同发生的费用；转换费用是在外包效果不理想时，军方寻找其他合同商或回收外包业务的费用。

相对来讲，与信息处理活动和管理活动相关的费用，如交易费用、管理监督费用、过渡期费用，相对简单，数量不多，因此可以采用经验或估算方式。

可见，合同商保障费用估算的难点在于合同执行费用的估算，如何科学、合理地对其进行估算，已经成为当前军民一体化和军民融合中亟待解决的问题。

从成本来看，合同商保障维修费用主要包括可变成本和固定成本两部分，可变成本与维修任务量直接相关，固定成本则与维修任务量间接相关。

4.1.2　合同商保障可变成本

1. 维修人员费用

合同商保障的主体主要有装备制造工厂、地方高等院校、维修工厂等。维修人员费用即这些合同商的全部维修人员费用总和。维修人员费用可用实际维修过程中的维修工时和工时费用计算[66]。

2. 维修备件费用

合同商维修备件费用为装备维修中需要的各种元器件、零部件的购置与维修费用[67]。在合同商保障中，维修备件费用主要包括维修备件采购费用、维修备件库存费用、维修备件闲置费用和维修备件失效费用。

3. 运输与搬运费用

运输与搬运费用是在维修装备到维修机构之间，以及部队到合同商之间产生的运输和搬运费用[68]。运输与搬运费用主要与装备的体积、重量及部队与合同商距离等因素有关。

4.1.3　合同商保障固定成本

1. 维修设施费用

维修设施费用，主要是为安装、放置维修装备而建造的固定建筑和固定设备相关的费用[69]。现阶段，军方为了鼓励承研承制单位或地方企业参与合同商保障，出资帮助合同商建设部分维修设施。

2. 维修设备费用

维修设备费用，主要是在修理过程中测试、维修工具、设备的购置维护，以及维修过程中产生的相关费用[70]。合同商保障中，用于生产和研制的设备也可直接应用于维修保障中，也有由军方为鼓励合同商而出资建设的维修设备，以及由合同商自身筹建的维修设备。

3. 维修管理费用

维修管理费用，是指维持正常维修活动所需的业务费、管理费等，以及为改进维修系统、提高维修保障装备性能而进行研究改革的费用等。在实施合同商保障中，维修管理费用还包括签订、管理、审计、支付、验收等与合同相关的费用。

4. 维修资料费用

维修资料费用，是指为获取保障装备维修所需资料花费的费用。资料获取途径主要有承研承制方、院校、部队等。在新装备维修中，承研承制方技术资料是维修资料最关键的组成部分。

5. 维修训练费用

维修训练费用，是指为保障维修质量，对人员进行训练产生的费用[71]。维修训练是合同商提高维修人员素质所必须进行的活动，也是保证维修效率的基础。

4.2　基于 ANP 的合同商保障效能指标分析

费用和效益是一对矛盾，一般情况下，提高效益就意味着需要更多的成本投入。研究费用问题，离不开对效能指标的研究。合同商保障条件下的装备保障效能指标分析是效益分析和费用优化的基础，通过效能指标分析，可以得到直接影响费用的因素，进而将其作为费用预测的因素，可有效提高费用预测的科学性和有效性。

合同商保障效能指标具有多目标、多层次、多关联特点，各指标间相互影响、相互作用。传统的层次分析法等分析方法不能很好地满足合同商保障效能指标评估的要求。网络分析法（analytic network process，ANP）能够考虑不同层次和元素之间的相互依存关系。本节采用 ANP 方法对合同商保障效能指标权重进行评估。

4.2.1 ANP 方法介绍

ANP 将合同商保障效能指标元素划分为控制层和网络层,采用网络层描述要素关系,如图 4-1 所示。

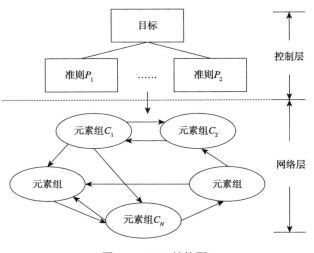

图 4-1 ANP 结构图

借助超级决策(super decision,SD)软件,建立合同商保障效能指标网络层结构,可以定量描述合同商保障效能指标间关系,实现指标权重科学、合理设置。

应用 ANP 方法对合同商保障效能指标进行评估,可采用以下步骤。

1. 指标体系构建

建立合同商保障效能评估的分指标和子指标,形成合同商保障效能指标体系。

2. ANP 网络构建

将分指标作为合同商保障效能 ANP 网络中的元素组(cluster),将合同商保障效能子指标作为 ANP 网络中的元素(element),建立 ANP 网络。

3. 关系描述

将专家对合同商保障效能子指标影响关系分析的结果输入 ANP 网络中。

4. ANP 网络计算

根据上述输入,SD 软件就可以构造合同商保障效能超矩阵、加权超矩阵、极限超矩阵，最终可得合同商保障效能每个分指标、子指标的综合优势度和灵敏度。

4.2.2　合同商保障下的装备保障效能评估指标体系构建

合同商保障下的装备保障效能评估指标体系构建，主要遵循以下基本原则。

（1）系统性原则。建立合同商保障效能评估指标体系，必须以系统思想为指导，全面考察合同商保障下的装备保障系统的各个方面和各个影响要素，从中选择出内涵明确、代表性强的部分作为评估指标，使构建的评估指标体系与保障系统主体一致，更加体现系统性和全面性。

（2）导向性原则。合同商保障条件下的装备保障效能评估的主要目的，是明确合同商保障实施后，装备保障系统整体的效益情况，确保合同商保障下的装备保障系统建设方向的科学性、有效性和正确性。

（3）可量化原则。构建合同商保障下的装备保障系统指标体系，必须要重视指标的"可量化"，尽可能使效益评估指标能定量化；对难以量化的指标也可以采取定性的分析，并通过定性分析比较判断，进而得出可比的结论，最终促使合同商保障下的装备保障系统建设更加科学有效。

（4）可操作性原则。效益评估指标应符合"SMART"要求，即具体（specific）、可度量（measurable）、可实现（attainable）、相关（relevant）和有限（time-bound）五个要求，使合同商保障下的装备保障系统评估符合我军合同商保障工作的实际，使指标体系更具有客观性，便于效益评估的具体实施。

根据上述原则，从效益性、效率性、保障性三个方面构建合同商保障下的装备保障效能指标。

1. 效益性（U_1）评估指标

（1）部队新装备完好率水平 U_{11}：合同商保障下的部队装备性能完好性。该指标计算方法为建制部队中性能完好的新装备占部队新装备总数的比例，目的是检查部队新装备总体状况，以及确定新装备能否随时投入使用。

$$U_{11} = \frac{\text{性能良好的新装备数量}}{\text{列装装备实际数量}} \times 100\% \qquad (4\text{-}1)$$

（2）部队新装备配套水平 U_{12}：部队新装备各项配套设施配套程度。常见设施主要包括维修设施、管理设施、训练设施、战备设施等四类。该指标计算方法为新装备合格的配套设施数与应有配套设施数之比，目的是检查部队各项配套设施建设是否到位。

$$U_{12} = \frac{新装备配套设施实际合格数量}{应有新装备配套设施总数量} \times 100\% \qquad （4\text{-}2）$$

（3）部队新装备保障资源配套率 U_{13}：部队新装备保障资源建设满足需求的程度。保障资源配套主要包括保障工具、器材和维修力量的数量、种类、质量等方面的全面配套。

（4）部队新装备保障人员能力水平 U_{14}：部队新装备维修保障人员基本素质和保障能力水平。该指标目的是检查部队新装备保障人员是否具备新装备维修保障能力。保障能力包括保障人员的文化程度、技术水平、指挥管理能力等。

（5）部队对合同商保障满意度 U_{15}：通过部队对合同商保障工作的满意度情况，评估合同商保障水平和解决问题情况，其指标主要由部队评估、主要采用专家打分法获得。

（6）合同商企业对装备保障工作的认可度 U_{16}：通过合同商企业对部队装备保障工作的认可度调查，评价合同商对部队的保障任务支持情况，以及部队相关政策、福利、辅助等工作的执行情况。认可度主要采用座谈和专家打分法获得。

（7）部队新装备经费满足度 U_{17}：合同商保障经费支出在部队整体预算中的执行情况。该指标计算方法为年度装备保障费用支出金额与年度装备保障费用预算金额之比。其相符程度反映了保障经费预算计划的合理性。

$$U_{17} = \frac{年度装备保障费用支出金额}{年度装备保障费用预算金额} \times 100\% \qquad （4\text{-}3）$$

（8）合同商装备保障盈利满意度 U_{18}：通过评估合同商装备保障收益的满意度，明确合同商保障的长远发展情况，便于调控整体装备保障建设水平。

2. 效率性（U_2）评估指标

（1）装备合同签订效率 U_{21}：目的是评估部队装备保障合同签订的效率，可以从即时保障任务需求产生到合同制定经过的时间，或者周期性保障任务合同签订的及时性来体现。

（2）装备保障合同完成率 U_{22}：目的是评估部队装备保障合同完成情况，可以反映合同商保障下军方保障能力生成的实际执行情况。

（3）合同商服务及时性 U_{23}：目的是评估合同商能够提供服务的及时性，可以从保障任务提出到合同商进行保障的响应速度测算。相对于民用任务来说，装备保障任务服务及时性要求更高。

（4）军地信息沟通效率 U_{24}：目的是评估部队等最终用户与合同商在保障信息沟通渠道的顺畅情况，考察在保障活动的保障信息传递中，能否实现在正确的时间、正确的地点把正确的信息以正确的方式传递给正确的人。

3. 保障性（U_3）评估指标

（1）政策制度完备性 U_{31}：主要评估当前军方管理部门对于合同商保障相关政策制定的完备性。政策制度越完备，在关键时刻保障能力发挥的作用就会越强。该指标也反映了目前合同商保障建设的整体进程和成熟度，可以通过部队和合同商对该指标打分，以及政策制度体系建设情况来评估。

（2）管理模式适用性 U_{32}：主要评估当前管理模式对合同商保障的适用程度，可以通过专家考察合同商和部队，采用打分法进行评估。管理模式适用性指标主要与管理的具体模式有关，也与相关的运行方式有关，可以通过模式改进和运行优化进行改进。

（3）合同商服务积极性 U_{33}：主要评估合同商进行装备保障活动的热情，可以通过合同商应标响应数量和整体水平来评估，目的是评估合同商保障的动员能力和保障资源潜力。

（4）部队对保障风险的控制性 U_{34}：主要评估采用合同商保障后，部队对各种突发的保障任务的应变处理能力，目的是规避合同商保障带来的装备保障风险隐患，可由评估专家组结合实地拉动或演习资料，采取专家打分法进行评估。

由上述分析，得到装备保障效能评估指标体系，如表 4-1 所示。

表 4-1 装备保障效能评估指标体系

总目标	一级指标	二级指标
装备保障效能评估指标体系	效益性（U_1）	部队新装备完好率水平 U_{11}
		部队新装备配套水平 U_{12}
		部队新装备保障资源配套率 U_{13}
		部队新装备保障人员能力水平 U_{14}
		部队对合同商保障满意度 U_{15}
		合同商企业对装备保障工作的认可度 U_{16}
		部队新装备经费满足度 U_{17}
		合同商装备保障盈利满意度 U_{18}
	效率性（U_2）	装备合同签订效率 U_{21}
		装备保障合同完成率 U_{22}
		合同商服务及时性 U_{23}
		军地信息沟通效率 U_{24}
	保障性（U_3）	政策制度完备性 U_{31}
		管理模式适用性 U_{32}
		合同商服务积极性 U_{33}
		部队对保障风险的控制性 U_{34}

4.2.3　合同商保障下的装备保障效能评估指标体系 ANP 模型

1. 层次模型构建

在以往研究中，人们均默认装备保障效能评估指标体系中的各个指标间是相互独立的，但这并不符合实际，如合同商服务及时性会影响部队对保障风险的控制性，等等。表 4-2 给出了表 4-1 元素间的相互影响关系。

表 4-2　装备保障效能评估指标的影响关系

U_{ij}	U_{11}	U_{12}	U_{13}	U_{14}	U_{15}	U_{16}	U_{17}	U_{18}	U_{21}	U_{22}	U_{23}	U_{24}	U_{31}	U_{32}	U_{33}	U_{34}
U_{11}	1	1	1	1	1	1	1	1	1	1	1	1	1	1	1	1
U_{12}	1	0	1	1	0	0	1	0	0	0	0	0	1	1	0	0
U_{13}	1	1	0	1	0	0	0	1	0	0	0	0	1	1	0	0
U_{14}	0	0	1	0	0	0	0	0	0	0	0	0	1	1	0	0
U_{15}	1	0	0	0	0	1	0	0	0	1	1	1	0	0	1	1
U_{16}	0	1	1	1	1	0	1	0	0	1	1	1	1	0	0	0
U_{17}	1	1	1	0	0	0	0	0	0	0	0	0	1	1	0	0
U_{18}	1	1	1	1	0	0	1	0	1	1	0	0	0	0	0	0
U_{21}	1	1	1	1	0	0	1	1	0	0	0	0	1	1	0	0
U_{22}	1	1	1	0	0	0	0	0	1	0	1	0	1	1	1	1
U_{23}	1	1	1	0	0	0	0	0	1	1	0	0	1	1	0	0
U_{24}	0	0	0	0	0	0	0	0	0	0	0	0	1	1	0	0
U_{31}	1	1	1	0	0	0	1	0	0	0	0	0	0	0	0	0
U_{32}	1	1	1	0	0	0	0	0	0	0	1	1	0	0	0	0
U_{33}	1	1	1	1	1	1	1	1	1	0	0	1	1	1	0	1
U_{34}	1	1	1	1	0	0	1	1	1	1	1	1	1	1	1	0

注：1 表示有影响，0 表示无影响

2. 网络模型构建

根据表 4-2 分析得到的因素间关系，利用 SD 软件建立装备保障效能评估指标网络模型，如图 4-2 所示。

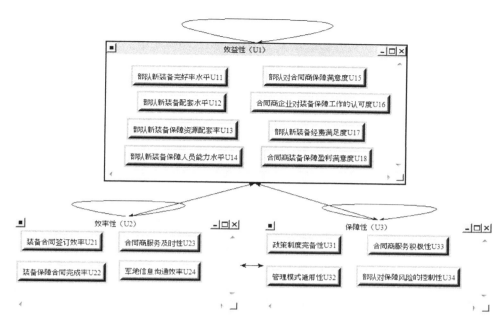

图 4-2　SD 软件建立的装备保障效能评估指标影响网络图

由图 4-2 中因素集间的箭头连线可见，装备保障效能评估指标不同因素集的因素之间存在外部依赖关系。

3. 网络模型计算

（1）构造判断矩阵。建立装备保障效能评估指标模型结构后，就要针对每一个因素建立判断矩阵，按照 1-9 标度进行，1-9 标度含义如表 4-3 所示。

表 4-3　1-9 标度含义

标度	前后因素的相对重要程度
1	同等重要
3	稍微重要
5	明显重要
7	强烈重要
9	极端重要
2，4，6，8	表示上述相邻判断的中间值

在装备保障效能评估目标下，根据上面建立的装备保障效能评估指标 ANP 网络模型，征询专家意见，构造判断矩阵；并在各元素组中进行间接优势度比较，给出元素组之间及元素组内部元素的判断矩阵；通过 SD 软件，进行元素比较，

如图 4-3 中，以"部队新装备完好率水平 U_{11}"为目标，其他各因素与该目标进行两两比较，并得出一致性检验结果为 0.040 20；图 4-4 中，以"装备保障合同完成率 U_{22}"为目标，其他各因素与该目标进行两两比较，并得出一致性检验结果为 0.062 52，均低于 0.1，可以接受。其他类似情况不再一一列出。

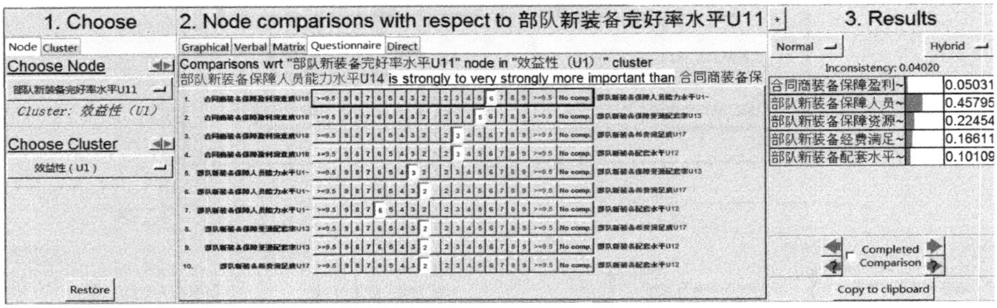

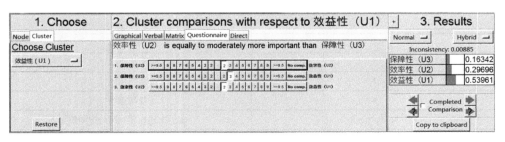

图 4-3　以 U_{11} 为目标的组内因素间重要程度的比较

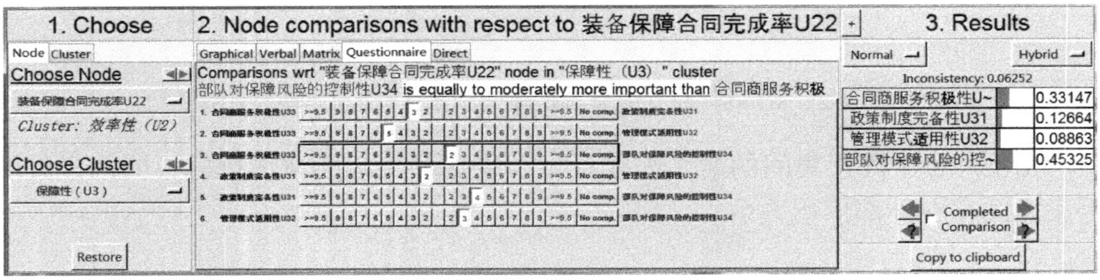

图 4-4　以 U_{22} 为目标的组内因素间重要程度的比较

　　元素组之间重要性的比较共计 3 组，图 4-5 中就是以"效益性（U_1）"为目标，其他元素组（即一级指标）相对于"效益性（U_1）"这个目标，其重要程度的两两比较结果和一致性检验结果为 0.008 85。类似的比较不再一一列出。

图 4-5　以 U_1 为目标的因素组间重要程度的比较

　　（2）运用 SD 软件，通过 Computations/Unweighted Super Matrix 命令计算出装备保障效能评估指标的未加权超矩阵，如图 4-6 所示。

Super Decisions Main Window: 装备保障效能评估指标体系-1.mod: Unweighted Super Matrix

Cluster Node Labels		保障性（U3）				效率性（U2）			
		合同商服务积极性U33	政策制度完备性U31	管理模式适用性U32	部队对保障风险的控制性U34	军地信息沟通效率U24	合同商服务及时性U23	装备保障合同完成率U22	装备合同签订效率U21
保障性(U3)	合同商服务积极性U33	0.000000	0.000000	0.000000	0.636986	0.000000	0.683340	0.331468	0.000000
	政策制度完备性U31	0.250000	0.000000	0.000000	0.104729	0.833333	0.199810	0.126644	0.666667
	管理模式适用性U32	0.750000	0.000000	0.000000	0.258285	0.166667	0.116850	0.088635	0.333333
	部队对保障风险的控制性U34	0.000000	0.000000	0.000000	0.000000	0.000000	0.000000	0.453253	0.000000
效率性(U2)	军地信息沟通效率U24	1.000000	0.000000	0.833333	0.093680	0.000000	1.000000	0.000000	0.000000
	合同商服务及时性U23	0.000000	0.000000	0.166667	0.530968	0.000000	0.000000	0.750000	0.000000
	装备保障合同完成率U22	0.000000	0.000000	0.000000	0.315485	0.000000	0.000000	0.000000	0.000000
	装备合同签订效率U21	0.000000	0.000000	0.000000	0.059868	0.000000	0.000000	0.250000	0.000000

图 4-6　未加权超矩阵

（3）通过 Computations/Weighted Super Matrix 命令计算装备保障效能评估指标的加权超矩阵，如图 4-7 所示。

Super Decisions Main Window: 装备保障效能评估指标体系-1.mod: Weighted Super Matrix

Cluster Node Labels		保障性（U3）				效率性（U2）			
		合同商服务积极性U33	政策制度完备性U31	管理模式适用性U32	部队对保障风险的控制性U34	军地信息沟通效率U24	合同商服务及时性U23	装备保障合同完成率U22	装备合同签订效率U21
保障性(U3)	合同商服务积极性U33	0.000000	0.000000	0.000000	0.158807	0.000000	0.133798	0.064902	0.000000
	政策制度完备性U31	0.062328	0.000000	0.000000	0.026110	0.322074	0.039123	0.024797	0.257659
	管理模式适用性U32	0.186983	0.000000	0.000000	0.064393	0.064415	0.022879	0.017355	0.128829
	部队对保障风险的控制性U34	0.000000	0.000000	0.000000	0.000000	0.000000	0.000000	0.088747	0.000000
效率性(U2)	军地信息沟通效率U24	0.157056	0.000000	0.174346	0.014713	0.000000	0.493386	0.000000	0.000000
	合同商服务及时性U23	0.000000	0.000000	0.034869	0.083392	0.000000	0.000000	0.370039	0.000000
	装备保障合同完成率U22	0.000000	0.000000	0.000000	0.049549	0.000000	0.000000	0.000000	0.000000
	装备合同签订效率U21	0.000000	0.000000	0.000000	0.009403	0.000000	0.000000	0.123346	0.000000

图 4-7　加权超矩阵

（4）通过 Computations/Limit Matrix 命令计算出装备保障效能评估指标的极限超矩阵，如图 4-8 所示。

Super Decisions Main Window: 装备保障效能评估指标体系-1.mod: Limit Matrix

Cluster Node Labels		保障性（U3）				效率性（U2）			
		合同商服务积极性U33	政策制度完备性U31	管理模式适用性U32	部队对保障风险的控制性U34	军地信息沟通效率U24	合同商服务及时性U23	装备保障合同完成率U22	装备合同签订效率U21
保障性（U3）	合同商服务积极性U33	0.007951	0.007951	0.007951	0.007951	0.007951	0.007951	0.007951	0.007951
	政策制度完备性U31	0.103530	0.103530	0.103530	0.103530	0.103530	0.103530	0.103530	0.103530
	管理模式适用性U32	0.071314	0.071314	0.071314	0.071314	0.071314	0.071314	0.071314	0.071314
	部队对保障风险的控制性U34	0.007105	0.007105	0.007105	0.007105	0.007105	0.007105	0.007105	0.007105
效率性（U2）	军地信息沟通效率U24	0.025787	0.025787	0.025787	0.025787	0.025787	0.025787	0.025787	0.025787
	合同商服务及时性U23	0.018045	0.018045	0.018045	0.018045	0.018045	0.018045	0.018045	0.018045
	装备保障合同完成率U22	0.007150	0.007150	0.007150	0.007150	0.007150	0.007150	0.007150	0.007150
	装备合同签订效率U21	0.003443	0.003443	0.003443	0.003443	0.003443	0.003443	0.003443	0.003443

图 4-8　极限超矩阵

（5）由极限超矩阵就可以得到装备保障效能评估指标各个元素的综合权重，该值可通过 Computations/Priorities 命令计算得出，如图 4-9 所示。

Super Decisions Main Window: 装备保障效能评估指标体系-1.mod: Priorities

Here are the priorities.

Icon	Name	Normalized by Cluster	Limiting
No Icon	合同商服务积极性U33	0.04187	0.007951
No Icon	政策制度完备性U31	0.54518	0.103530
No Icon	管理模式适用性U32	0.37553	0.071314
No Icon	部队对保障风险的控制性U34	0.03741	0.007105
No Icon	军地信息沟通效率U24	0.47381	0.025787
No Icon	合同商服务及时性U23	0.33156	0.018045
No Icon	装备保障合同完成率U22	0.13137	0.007150
No Icon	装备合同签订效率U21	0.06326	0.003443
No Icon	合同商企业对装备保障工作的认可度U16	0.00261	0.001972
No Icon	合同商装备保障盈利满意度U18	0.00590	0.004457
No Icon	部队对合同商保障满意度U15	0.00094	0.000713
No Icon	部队新装备保障人员能力水平U14	0.23582	0.178204
No Icon	部队新装备保障资源配套率U13	0.33585	0.253797
No Icon	部队新装备完好率水平U11	0.10066	0.076066
No Icon	部队新装备经费满足度U17	0.16987	0.128369
No Icon	部队新装备配套水平U12	0.14834	0.112098

图 4-9　权重分析图

由权重计算结果可知，在装备保障效能评估体系中，对目标贡献较大，权重值超过 0.05 的指标有部队新装备保障资源配套率 U_{13}（0.253 797）、部队新装备保障人员能力水平 U_{14}（0.178 204）、部队新装备经费满足度 U_{17}（0.128 369）、部队新装备配套水平 U_{12}（0.112 098）、政策制度完备性 U_{31}（0.103 530）、部队新装备完好率水平 U_{11}（0.076 066）、管理模式适用性 U_{32}（0.071 314）。各指标权重如表 4-4 所示。

表 4-4　各指标权重

总目标	一级指标	一级指标权重	二级指标	二级指标权重
装备保障效能评估指标体系	效益性（U_1）	0.755 676	部队新装备完好率水平 U_{11}	0.076 066
			部队新装备配套水平 U_{12}	0.112 098
			部队新装备保障资源配套率 U_{13}	0.253 797
			部队新装备保障人员能力水平 U_{14}	0.178 204
			部队对合同商保障满意度 U_{15}	0.000 713
			合同商企业对装备保障工作的认可度 U_{16}	0.001 972
			部队新装备经费满足度 U_{17}	0.128 369
			合同商装备保障盈利满意度 U_{18}	0.004 457
	效率性（U_2）	0.054 425	装备合同签订效率 U_{21}	0.003 443
			装备保障合同完成率 U_{22}	0.007 150
			合同商服务及时性 U_{23}	0.018 045
			军地信息沟通效率 U_{24}	0.025 787
	保障性（U_3）	0.189 9	政策制度完备性 U_{31}	0.103 530
			管理模式适用性 U_{32}	0.071 314
			合同商服务积极性 U_{33}	0.007 951
			部队对保障风险的控制性 U_{34}	0.007 105

　　分析上述权重较大的指标，部队新装备保障资源配套率 U_{13}、部队新装备保障人员能力水平 U_{14}、部队新装备配套水平 U_{12} 三个指标为部队新装备的现实状况所决定，部队新装备经费满足度 U_{17}、政策制度完备性 U_{31}、管理模式适用性 U_{32} 为合同商保障的环境因素，这六个指标并不是通过改进合同商保障方式和保障管理方式所能够提升的指标，因此，不适宜作为目标性指标，而只能作为环境影响因素。部队新装备完好率水平 U_{11} 属于受到合同商保障具体运行影响的目标性指标，因此，将部队新装备完好率水平指标作为建模的效益目标，以其作为检验合同商保障运行改进的目标方向。

4.3　合同商维修工作量估算

工作量是维修费用确定的基础，从分析流程出发，建立合同商维修工作量估算方法。

4.3.1　合同商维修工作量分析流程

合同商维修工作量分析可采用基于 MTA[72]的方法，即利用 FMEA 和以可靠性为中心的维修分析（reliability centered maintenance analysis，RCMA）确定外场可更换单元（line replaceable unit，LRU）预防性维修所需工作，然后通过 MTA 确定维修操作，利用修理级别分析（level of repair analysis，LORA）确定维修的等级，最终确定合同商维修工作量，如图 4-10 所示。

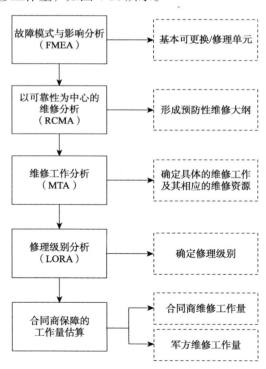

图 4-10　合同商维修工作量计算流程

1. 故障模式与影响分析（FMEA）

通过 FMEA，可以明确新装备潜在故障模式及故障原因，进而确定相应的修复性维修措施，减少故障危害性。

2. 以可靠性为中心的维修分析（RCMA）

通过 RCMA，对重要功能产品的每一种可能发生的故障模式进行分析，依据其故障影响后果，判定是否应采取预防性维修措施，如果需要的话，就进一步确定预防性维修工作类型和相应的维修间隔期。

3. 维修工作分析（MTA）

在前面确定故障模式和维修工作类型的基础上，通过 MTA，确定整个装备的维修工作内容，确定维修工作进行中需要的具体作业步骤和各步骤需要的维修人员、维修设备、维修器材等维修资源。

4. 修理级别分析（LORA）

通过 LORA，对整个装备的各个维修工作，按照一定的准则，确定其经济、合理的维修级别和具体的修理方法。

5. 合同商保障的工作量估算

通过合同商保障的工作量估算，可以确定一项维修工作的维修人员数量、维修工时等。在具体一个装备的维修工作中，合同商和军方需要分别承担部分任务，即使是在完全由合同商保障的维修产品中，也需要军方使用人员首先判断故障的初步原因和维修类别。要确定合同商工作量，需要分析合同商负担的维修工作量及其在全部维修工作量中的占比。

4.3.2　合同商维修工作量算法

合同商维修工作量可以采用以 LRU 为基本单位计算。该算法主要思路是，通过分析得到 LRU，分析 LRU 的不同故障模式，故障模式又对应故障原因，进而计算军方和合同商在维修中的工作量占比，如图 4-11 所示。

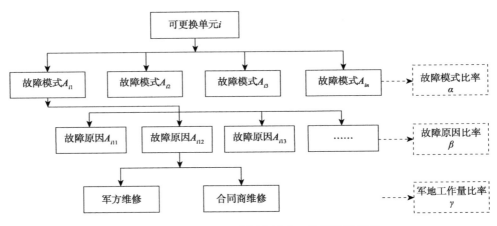

图 4-11　基于 LRU 的合同商维修工作量计算思路

　　按上述分析可知，若在某一个外场可更换单元的故障模式、故障原因确定条件下，其维修工时可以确定，这样，自下而上即可确定装备级合同商保障所需工时。

　　单元 i 故障 j 故障原因 k 下的维修工时数，可以用维修时需要时间和所用人数的乘积得到：

$$H_{A_{ijk}} = t_{ijk} \times m_{ijk} \qquad (4\text{-}4)$$

其中，$H_{A_{ijk}}$ 为单元 i 故障 j 故障原因 k 下的维修工时；t_{ijk} 为单元 i 故障 j 故障原因 k 下的维修所需时间；m_{ijk} 为单元 i 故障 j 故障原因 k 下的维修所需人数。

　　时间 T 内单元 i 发生故障的期望次数，可以用故障率积分得到：

$$N_i = \int_0^T \lambda_i(t)\mathrm{d}t \qquad (4\text{-}5)$$

其中，T 为时间长度；N_i 为时间 T 内单元 i 故障发生次数；$\lambda_i(t)$ 为单元 i 故障率。

　　时间 T 内单元 i 故障 j 故障原因 k 的故障期望次数为

$$Q_{ijk} = \int_0^T \alpha_{ij}\beta_{ijk}\lambda_i(t)\mathrm{d}t \qquad (4\text{-}6)$$

其中，Q_{ijk} 为时间 T 内单元 i 故障 j 故障原因 k 的故障期望次数；α_{ij} 为单元 i 第 j 类故障模式占所有故障的比率，且 $\sum_{j=1}^{n} \alpha_{ij} = 1$，$n$ 为故障模式种类数；β_{ijk} 为单元 i 故障 j 故障原因 k 在故障 j 中的占比，且 $\sum_{k=1}^{h} \beta_{ijk} = 1$，$h$ 为故障原因种类数。

　　确定合同商承担维修工作占整体维修工时的比例，则可以确定合同商维修工作量。假设 γ_{ijk} 为单元 i 故障 j 故障原因 k 的维修任务中合同商所占比例，则时间 T

内单元 i 由合同商承担的维修工作量为

$$h_{A_i} = \sum_{j=1}^{n} \sum_{k=1}^{h} \gamma_{ijk} t_{ijk} m_{ijk} \int_{0}^{T} \alpha_{ij} \beta_{ijk} \lambda_i(t) \mathrm{d}t \qquad (4\text{-}7)$$

4.4　基于 ISM 的合同商维修费用影响因素分析

解释结构模型（interpretative structural modeling，ISM）是一种分析要素关系的方法。其主要思想是通过提取影响因素，利用有向图等工具，形成影响关系，最终获取影响因素之间的逻辑关系和最重要的影响因素。新装备合同商保障费用受到诸多因素影响，在分析影响新装备合同商保障费用因素的基础上，确定费用预测的关键性约束指标，从而为后续费用预测建模建立基础。

4.4.1　合同商保障的费用影响因素构成

1. 装备维修保障费用影响因素分析

装备维修保障费用主要受到以下四个方面因素影响[73, 74]：一是技术性能方面，如装备本身的软硬件、使用特性等；二是可用性方面，如可靠性、维修性、维修保障等方面；三是装备使用情况，如装备训练强度、装备动用制度、地理环境因素等；四是其他影响因素，如物价影响、装备部署环境、维修经费政策等。其影响因素关系如图 4-12 所示。

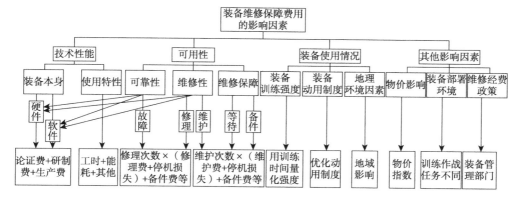

图 4-12　装备维修保障费用的影响因素及其影响

2. 合同商保障下的装备维修保障费用影响因素分析

合同商保障下的装备维修保障费用受到的各种因素的影响，以及影响因素之间关系如图 4-13 所示。

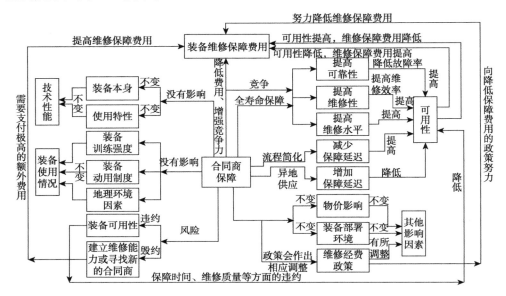

图 4-13　合同商保障下维修费用影响因素及影响关系

4.4.2　合同商保障下维修费用影响因素关联关系

根据上述分析，得到合同商保障下维修费用影响因素，如表 4-5 所示。

表 4-5　维修费用影响因素

序号	相关影响因素	序号	相关影响因素
1	维修保障费用	10	合同商
2	技术性能	11	可靠性
3	装备本身	12	维修性
4	使用特性	13	维修水平
5	装备使用情况	14	保障延迟
6	装备训练强度	15	其他影响因素
7	装备动用制度	16	装备部署环境
8	地理环境因素	17	维修经费政策
9	装备可用性		

在课堂教学模式影响因素体系中，对于任意两个因素，若 c_i 影响 c_j，则令 $a_{ij}=1$；若 c_i 不影响 c_j，则令 $a_{ij}=0$，从而得到邻接矩阵，如表 4-6 所示。

表 4-6　合同商保障下维修费用影响因素关联关系

影响因素	维修保障费用	技术性能	装备本身	使用特性	装备使用情况	装备训练强度	装备动用制度	地理环境因素	装备可用性	合同商	可靠性	维修性	维修水平	保障延迟	其他影响因素	装备部署环境	维修经费政策
维修保障费用	1																
技术性能	1	1															
装备本身			1	1							1	1					
使用特性		1															
装备使用情况	1				1												
装备训练强度					1	1											
装备动用制度					1		1										
地理环境因素					1			1									
装备可用性	1								1								
合同商			1							1	1	1	1	1			1
可靠性										1	1						
维修性										1		1					
维修水平				1			1						1			1	1
保障延迟										1							
其他影响因素	1														1		
装备部署环境															1	1	
维修经费政策															1		1

把邻接矩阵加上单位矩阵后按布尔代数运算自乘，直到某一幂次后乘积不变为止，不变的乘积即为可达矩阵，过程略。按照"1"元素从多到少，将其中的各行从下到上重新调整顺序，同时从右到左对应调整各列顺序，使得"1"元素都按层次级别排序；按照从下到上、从右到左的顺序，逐次寻找阶数最大的单位主子式，该单位主子式对应一个级别；从高到低划分了四个级别，如图 4-14 所示，得到调整后的可达矩阵。

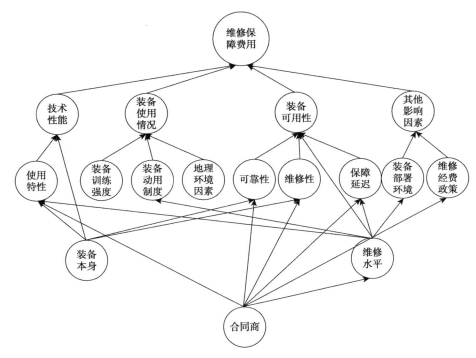

图 4-14　合同商保障下维修费用影响因素影响关系

使用客观的"手段–目的分析"网络方法确定关键影响因素，以任一因素为起点，以军队院校课堂教学模式为终点，顺着箭线的方向，寻找路径；使用枚举法，得到以每个因素为起点、到达终点经过的所有路径的路径数。按照路径数降序排列各个因素，计算所有路径数的平均值，选取高于平均值 20% 的路径数对应因素，将其作为关键影响因素，如表 4-7 所示。

表 4-7　各影响因素的路径数

影响因素	路径数	影响因素	路径数
维修保障费用	1	合同商	10
技术性能	1	可靠性	1
装备本身	3	维修性	1
使用特性	1	维修水平	5
装备使用情况	1	保障延迟	1
装备训练强度	1	其他影响因素	1
装备动用制度	1	装备部署环境	1
地理环境因素	1	维修经费政策	1
装备可用性	1		

由表 4-7 可知，影响装备维修费用的关键因素包括合同商（10）、维修水平（5）、装备本身（3）。同时，可以看到这些因素中，装备可用性（1）是受影响最为明显的因素。

4.4.3　合同商保障费用建模中的关键考虑因素

合同商保障费用涉及多个影响因素，既受到装备本身的影响，又受到合同商和维修水平的影响。研究中往往以特定装备为研究基础，也就是在装备可靠性水平基本确定的情况下进行分析。此时，合同商的维修方式以及合同商维修水平则直接影响合同商维修保障费用。因此，考虑合同商维修保障直接涉及的费用影响因素主要包括维修策略、维修方式、维修间隔期。

1. 维修策略

维修策略主要包括单个维修、成组维修、机会维修等，不同的维修策略对应不同的数学模型。单个维修往往针对单个产品发生故障情况进行维修，或者到达更换维修期进行更换；当一个产品发生故障时，可能意味着同一类产品同样会发生故障，这就意味着机会维修；针对多个产品统一考虑，也即采用成组维修等。按照是否发生故障又可将维修划分为故障维修和预防性维修。这些维修方式，既影响故障发生次数，又影响故障发生后造成的损失。因此，维修策略是合同商保障费用的一个重要影响因素。

2. 维修方式

维修方式主要包括完全维修、不完全维修等。完全维修往往以更换为主，维修后，装备达到修复如新的效果，而不完全维修往往经过维修后，装备不能修复如新，而是改善了可靠性水平。不同维修方式对应着不同的可靠性水平，决定着故障发生次数的多少，同时不同维修方式也对应着不同的费用，只有经过优化，才能确定最佳的维修方式。

3. 维修间隔期

一般在发生故障情况下，尤其是故障影响装备的正常使用或战备时，应立刻进行维修。而在未发生故障情况下，就间隔一定的维修周期进行一次预防性维修，其中维修间隔期可以是自然时间、发数、摩托小时数等。维修间隔期越长，预防性维修次数越少，预防性维修费用则相对越少，同时，也会造成故障次数相对变多，故障维修费用和故障造成损失就会相对增加。合适的间隔期则会使维修费用和装备战备完好性达到最优的权衡结果。

另外，基于前面 ISM 分析，合同商保障关键约束指标为可用性，因此在考虑合同商保障费用分析的效益指标时，应以可用性为约束指标。在可用性方面，通常采用可用度进行标示，因此，以可用度作为合同商保障费用预测的效益型指标。

最终，本章确定合同商保障费用预测模型中的关键考虑因素为维修策略、维修方式、维修间隔期和可用度四个因素。

第5章 基于单一产品的合同商保障费用预测

借助 GJB451—2005《可靠性维修性保障性术语》中产品的概念，产品泛指武器装备、分子系统、零部件、元器件。新装备通常由多种产品组成，如某自行火炮武器装备由底盘系统、火力系统、火控系统构成，而火力系统又包括炮塔、弹药和火炮部分，等等。根据不同情况，对自行火炮进行分类，就可明确其维修的具体产品。本章针对单个产品维修情况，对合同商保障费用进行预测。

单一产品维修，可以根据维修策略的不同分为预防性维修和更换维修策略，本章主要针对二者分别加以分析，以期对维修费用和可用度的分析有一定帮助。

5.1 基于改善因子的不完全维修费用预测模型

维修从修复时机考虑，可分为修复性维修（corrective maintenance，CM）和预防性维修（preventive maintenance，PM）。产品经过维修后，其功能恢复的具体程度会有所不同，完全维修是指修后如新，不完全维修则修后如旧。不同的维修程度对维修费用具有一定影响。根据维修程度不同，引入维修程度因子，建立预防性维修费用预测模型。

5.1.1 改善因子

王铭哲[75]在研究有限时间区域预防维修中提出了改善因子概念，以 α 表示，代表经过预防性维修后产品修复如新的程度，也即经过维修，产品故障率变为预防性维修前 αT 时的故障率。显然 $\alpha \geqslant 1$，其中 $\alpha = 1$ 表示修复如新。

改善因子大小受到产品工龄、维修间隔期、每次维修投入成本等因素影响，采用式（5-1）表示：

$$\alpha = \left(\frac{C_p^0}{C_p^0 - \pi C_p} \right)^{\frac{T^0 - t_i}{T}} \tag{5-1}$$

其中，α 为改善因子；C_p^0 为预防性更换成本；C_p 为预防性维修成本；T 为预防性维修间隔期；π 为调整系数，随产品种类、性质及条件的不同而不同，$0 \leqslant \pi \leqslant C_p / C_p^0$。

$1/\alpha$ 与 C_p / C_p^0 的数学关系如图 5-1 所示，可见：

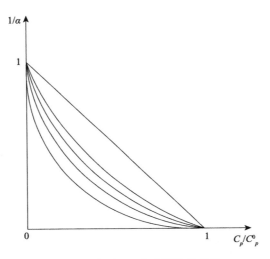

图 5-1　$1/\alpha$ 与 C_p / C_p^0 的数学关系

（1）在产品更换费用不变的情况下，若单次预防性维修的费用越大，$1/\alpha$ 越大，产品维修后恢复的程度越明显。

（2）在产品更换费用不变的情况下，若单次预防性维修的费用越小，$1/\alpha$ 越小，产品维修后恢复的程度越不明显。

为便于研究，假定改善因子 α 为常数。

5.1.2　基于改善因子的单产品不完全维修费用模型

针对单产品，建立不完全维修费用模型，需要考虑维修次数和维修费用两个方面。

（1）维修次数。在定时更换维修情况下，产品不完全维修间隔期为 T，假设单次维修时间为 T_p，则故障率变为维修前 αT 时的故障率。

（2）维修费用。维修费用为各次的故障维修费用 C_f 与不完全维修费用 C_p 之和。

为了简化研究，做出以下假设：①维修中，定时进行不完全维修，故障时，进行最小维修；②最小维修后，故障率不变；③不完全维修后，故障率改善因子为 α；④不完全维修和最小维修费用为常数；⑤产品会老化，故障率随工龄增加而增加；⑥故障只发生单次，不考虑多重故障同时发生。

若单次不完全维修费用为 $\mathrm{EC}_{fi}(T) + C_p$，则维修期总时间 W 内的维修费用 $C(T,W)$ 可以表示为

$$C(T,W) = nC_p + \sum_{i=1}^{n} \mathrm{EC}_{fi}(T) + \mathrm{EC}_{f'}\big[W - n(T + T_p)\big] \tag{5-2}$$

其中，n 为维修时间 W 内进行不完全维修的次数，$n = \mathrm{int}\big[W/(T + T_p)\big]$，int 为取整函数；$\mathrm{EC}_{fi}(T)$ 为间隔期 i 内，以间隔期 T 实施不完全维修的故障维修费用的期望值；$\mathrm{EC}_{f'}\big(W - n(T + T_p)\big)$ 为 $W - n(T + T_p)$ 时间内的故障最小维修费用期望。

不完全维修间隔期 i 内的产品故障率：

$$\lambda_i(t) = \lambda\big[t - (i-1)\alpha T\big] \tag{5-3}$$

由产品故障率函数定义可知，在第 i 个不完全维修间隔期内，产品出现故障的平均次数 n_i 可表示为

$$n_i = \int_{(i-1)(T+T_p)}^{iT+(i-1)T_p} \lambda_i(t)\mathrm{d}t \tag{5-4}$$

将每个不完全维修间隔期内故障维修费用累加，即可得到不完全维修间隔期内故障维修费用期望值：

$$\sum_{i=1}^{n} \mathrm{EC}_{fi}(T) = \sum_{i=1}^{n} n_i C_f = \sum_{i=1}^{n} \int_{(i-1)(T+T_p)}^{iT+(i-1)T_p} \lambda_i(t)\mathrm{d}t C_f \tag{5-5}$$

同样可以得到，$\big[n(T + T_p), W\big]$ 时间段内故障平均次数：

$$n_{(n+1)} = \int_{n(T+T_p)}^{W} \lambda_{(n+1)}(t)\mathrm{d}t \tag{5-6}$$

在 $\big[n(T + T_p), W\big]$ 时间内进行故障维修费用期望值：

$$\mathrm{EC}_{f'}\big(W - n(T + T_p)\big) = n_{(n+1)}C_f \tag{5-7}$$

将式（5-6）、式（5-7）代入式（5-2）可得，在不完全维修间隔期为 T 的情况下，维修期的整体维修费用为

$$C(T,W) = \mathrm{int}\big[W/(T + T_p)\big]C_p + \sum_{i=1}^{n} \int_{(i-1)(T+T_p)}^{iT+(i-1)T_p} \lambda_i(t)\mathrm{d}t C_f + \int_{n(T+T_p)}^{W} \lambda_{(n+1)}(t)\mathrm{d}t C_f \tag{5-8}$$

5.1.3　基于改善因子的单产品不完全维修可用度模型

可用度为期望可用时间与使用时间的比值。维修期内期望可用度 $A(T,W)$ 可以表示为

$$A(T,W)=\frac{\text{期望可用时间}}{\text{使用期限}}=\frac{W-D(T,W)}{W} \qquad （5-9）$$

要求取可用度，需要求得期望停机时间。假设对故障来讲，维修时间基本确定，设 T_p 为单次不完全维修所需时间，T_f 为单次修复性维修所需时间，则维修期总时间内的维修时间 $D(T,W)$ 可以表示为

$$D(T,W)=nT_p+\sum_{i=1}^{n}\text{ET}_{fi}(T)+\text{ET}_{f'}\big(W-n(T+T_p)\big) \qquad （5-10）$$

其中，$\text{ET}_{fi}(T)$ 为在间隔期为 T 情况下进行不完全维修时，间隔期 i 内故障最小维修策略下的维修时间；$\text{ET}_{f'}\big(W-n(T+T_p)\big)$ 为采用最小维修策略，在 $\big[n(T+T_p),W\big]$ 时间内的维修时间期望。

把每个不完全维修间隔期内维修时间进行求和，即可得 n 个不完全维修间隔期内产品总维修时间的期望值：

$$\sum_{i=1}^{n}\text{ET}_{fi}(T)=\sum_{i=1}^{n}n_iT_f=\sum_{i=1}^{n}\int_{(i-1)(T+T_p)}^{iT+(i-1)T_p}\lambda_i(t)\,\mathrm{d}tT_f \qquad （5-11）$$

在 $\big[n(T+T_p),W\big]$ 时间内，因发生故障所造成的停机时间的期望值可表示为

$$\text{ET}_{f'}\big(W-n(T+T_p)\big)=n_{(n+1)}T_f \qquad （5-12）$$

将式（5-11）、（5-12）代入式（5-10），可得维修期内总的期望停机时间：

$$D(T,W)=\text{int}\big[W/(T+T_p)\big]T_p+\sum_{i=1}^{n}\int_{(i-1)(T+T_p)}^{iT+(i-1)T_p}\lambda_i(t)\,\mathrm{d}tT_f+\int_{n(T+T_p)}^{W}\lambda_{(n+1)}(t)\,\mathrm{d}tT_f \qquad （5-13）$$

可得产品的平均可用度：

$$A(T,W)=1-D(T,W)/W$$
$$=1-\frac{1}{W}\left\{\text{int}[W/(T+T_p)]T_p+\sum_{i=1}^{n}\int_{(i-1)(T+T_p)}^{iT+(i-1)T_p}\lambda_i(t)\,\mathrm{d}tT_f+\int_{n(T+T_p)}^{W}\lambda_{(n+1)}(t)\,\mathrm{d}tT_f\right\} \qquad （5-14）$$

5.1.4　基于可用度限制的单产品不完全维修费用预测

一般情况下，可用度和维修费用的关系是矛盾的。在产品一定的情况下，要想提高可用度，就需要更高的费用。尽管希望支付给合同商的保障费用越低越

好，但由于可用度要保持在一定程度，这必然使保障费用维持在一定水平。因此，预测产品维修费用，必然要考虑到可用度。一方面，在掌握维修费用和可用度关系的前提下，依据军方提出的最低可用度要求，可以计算出维修费用；另一方面，依据费效分析原理，以可用度和费用比值最优，也可得到一种比较理想的维修费用。

1. 面向最低可用度要求的单产品维修费用预测

一般情况下，产品可用度是指根据作战任务需求，由军方提出的具体要求。假设军方要求最低可用度为 A_0，则需要满足：

$$A(T,W) \geqslant A_0 \tag{5-15}$$

其中，A_0 为最低可用度。

由分析可知，$A(T,W)$ 的变化主要由不完全维修间隔期决定，而其他参数往往由具体的装备确定。因此，可得到最长的维修间隔期 $T_{0\max}$。

当 $T_{0\max}$ 确定后，由式（5-10），即可得到面向最低可用度要求的单产品维修费用：

$$C_{0\max}(T,W) = C(T_{0\max},W)$$

即

$$
\begin{aligned}
C_{0\max}(T,W) = &\operatorname{int}\left[W/(T_{0\max}+T_p)\right]C_p + \sum_{i=1}^{n}\int_{(i-1)(T_{0\max}+T_p)}^{iT_{0\max}+(i-1)T_p}\lambda_i(t)\mathrm{d}t C_f \\
&+ \int_{n(T_{0\max}+T_P)}^{W}\lambda_{(n+1)}(t)\mathrm{d}t C_f
\end{aligned} \tag{5-16}
$$

2. 面向费用可用度比的单产品维修费用优化

费用可用度比 V 可用以下公式表示：

$$V = \frac{C(T,W)}{W}\frac{1}{A(T,W)} \tag{5-17}$$

其中，W 为维修期总时间；$C(T,W)$ 为维修期总时间 W 内的维修费用；$A(T,W)$ 为维修期总时间 W 内产品的平均可用度。

由 5.1.3 节得到的 $C(T,W)$ 和 $A(T,W)$ 的式和，代入式（5-17），得到费用可用度比：

$$V = \frac{\operatorname{int}\left[W/(T+T_p)\right]C_p + \sum_{i=1}^{n}\int_{(i-1)(T+T_p)}^{iT+(i-1)T_p}\lambda_i(t)\mathrm{d}t C_f + \int_{n(T+T_p)}^{W}\lambda_{(n+1)}(t)\mathrm{d}t C_f}{W - \left\{\operatorname{int}\left[W/(T+T_p)\right]T_p + \sum_{i=1}^{n}\int_{(i-1)(T+T_p)}^{iT+(i-1)T_p}\lambda_i(t)\mathrm{d}t T_f + \int_{n(T+T_p)}^{W}\lambda_{(n+1)}(t)\mathrm{d}t T_f\right\}} \tag{5-18}$$

以上述分析为基础，建立面向费用可用度比的单产品维修费用优化模型：

$$\min V$$

s.t.

$$V = \frac{\text{int}\left[W/(T+T_p)\right]C_p + \sum\limits_{i=1}^{n}\int_{(i-1)(T+T_p)}^{iT+(i-1)T_p}\lambda_i(t)\mathrm{d}tC_f + \int_{n(T+T_p)}^{W}\lambda_{(n+1)}(t)\mathrm{d}tC_f}{W - \left\{\text{int}\left[W/(T+T_p)\right]T_p + \sum\limits_{i=1}^{n}\int_{(i-1)(T+T_p)}^{iT+(i-1)T_p}\lambda_i(t)\mathrm{d}tT_f + \int_{n(T+T_p)}^{W}\lambda_{(n+1)}(t)\mathrm{d}tT_f\right\}}$$

（5-19）

由于上述模型直接求解较为困难，因此，可以运用MATLAB软件对模型进行求解。

5.1.5　示例分析

以某自行火炮底盘中的某机械产品为例，考虑基于费用可用度比最优情况下的维修费用。假设该产品故障服从威布尔分布：

$$\lambda(t) = \frac{m}{\eta}\left(\frac{t}{\eta}\right)^{m-1}$$

并假设采用不完全维修中的维修间隔期为 T，且经过不完全维修后，故障率改善因子为 α，发生故障后进行最小维修，最小维修后故障率不变。单次不完全维修直接费用期望值 $C_{pr} = 600$ 元，期望时间 $T_p = 2$ 小时，采用最小维修，单次费用 $C_{fr} = 1\,000$ 元，期望时间 $T_f = 5$ 小时，由于维修造成时间延误，单位时间损失为 $C_d = 200$ 元/小时。

单次不完全维修损失：

$$C_p = 600 + 200 \times 2 = 1\,000$$

单次故障损失：

$$C_f = 1\,000 + 200 \times 5 = 2\,000$$

由式（5-3），产品在第 i 次不完全维修间隔期的故障率：

$$\lambda_i(t) = \lambda(t - (i-1)\alpha T) = \frac{2}{200^2}(t - 0.9(i-1)T)$$

总时间 W 内不完全维修次数：

$$n = \text{int}\left[W/(T+T_p)\right] = \text{int}\left[W/(T+2)\right]$$

由式（5-8）得，产品在总时间 W 的维修费用：

$$C(T,W) = \text{int}\left[W/(T+T_p)\right]C_p$$

$$+ \sum_{i=1}^{n}\int_{(i-1)(T+T_p)}^{iT+(i-1)T_p}\lambda_i(t)\,\mathrm{d}tC_f + \int_{n(T+T_p)}^{W}\lambda_{(n+1)}(t)\,\mathrm{d}tC_f$$

$$= 1\,000\times\left\{\text{int}\left[W/(T+2)\right]\right\}$$

$$+ 2\,000\times\sum_{i=1}^{N}\int_{(i-1)(T+1)}^{iT+(i-1)}\left(2/200^2\right)\left[t-0.9(i-1)T\right]\mathrm{d}t$$

$$+ 2\,000\times\int_{N(T+1)}^{W}\left(2/200^2\right)(t-0.9NT)\,\mathrm{d}t$$

由式（5-14）可得出产品在总时间 W 的可用度：

$$A(T,W) = 1 - \frac{1}{W}\left\{\text{int}\left[W/(T+T_p)\right]T_p + \sum_{i=1}^{n}\int_{(i-1)(T+T_p)}^{iT+(i-1)T_p}\lambda_i(t)\,\mathrm{d}tT_f + \int_{n(T+T_p)}^{W}\lambda_{(n+1)}(t)\,\mathrm{d}tT_f\right\}$$

$$= 1 - \frac{1}{W}\left(2\times\left\{\text{int}\left[W/(T+2)\right]\right\} + 5\times\sum_{i=1}^{N}\int_{(i-1)(T+1)}^{iT+(i-1)}\left(2/200^2\right)\left[t-0.9(i-1)T\right]\mathrm{d}t\right.$$

$$\left. + 5\times\int_{N(T+1)}^{W}\left(2/200^2\right)(t-0.9NT)\,\mathrm{d}t\right)$$

费用可用度比：

$$V = \left(1\,000\times\left\{\text{int}\left[W/(T+2)\right]\right\} + 2\,000\times\sum_{i=1}^{N}\int_{(i-1)(T+1)}^{iT+(i-1)}\left(2/200^2\right)\left[t-0.9(i-1)T\right]\mathrm{d}t\right.$$

$$\left. + 2\,000\times\int_{N(T+1)}^{W}\left(2/200^2\right)(t-0.9NT)\,\mathrm{d}t\right)\Big/W - \left\{2\times\left\{\text{int}[W/(T+2)]\right\}\right.$$

$$\left. + 5\times\sum_{i=1}^{N}\int_{(i-1)(T+1)}^{iT+(i-1)}\left(2/200^2\right)\left[t-0.9(i-1)T\right]\mathrm{d}t + 5\times\int_{N(T+1)}^{W}\left(2/200^2\right)(t-0.9NT)\,\mathrm{d}t\right\}$$

运用 MATLAB 软件对上式进行计算，得到费用可用度比，如图 5-2 所示。

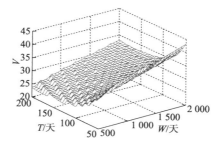

图 5-2　费用可用度比

若总时间为 1 080 天，最优费用可用度比为 24.04，相对应的费用为 154 元/天。

根据图 5-2 所示结果，可以明确在不同总时间 W 和不同的维修间隔期内，费用可用度比会有所不同。因此，进行最优费用可用度比决策时，不单要考虑费用可用度比，还应综合考虑管理因素。

5.2 基于成组更换的完全维修费用预测模型

不完全维修主要是在原件上进行的，相比之下，直接更换产品则是一种更为常见的完全维修方式，并且维修后产品修复如新。更换主要分为工龄更换和成组更换[76]。本节针对更换维修情况，主要研究成组更换策略下的完全维修费用预测模型，而将工龄更换策略作为成组更换策略的一种特殊形式。

5.2.1 成组更换

工龄更换和成组更换维修均属于定时预防性维修。采用更换维修后，需要重新记录产品的工作时间，即产品工作时间为零，并能够充分发挥产品的功能。

工龄更换是针对个别产品的定时更换，以产品实际使用时间为基础，在每次更换后需要对每个产品进行单独计时，管理起来相对比较复杂。

成组更换则是针对一批产品而言，当某一批产品达到规定使用时间后，所有同类产品同时进行更换，即使是间隔期内发生故障更换过的产品，也会一起更换。该方式虽然看起来有所浪费，但是管理较为简单，因此适用于价格较低、数量较大的产品。运用成组更换策略进行的预防性维修可用图 5-3 描述。在预定时间 kT 进行预防性更换，W 表示维修期限，T 表示成组更换间隔期。

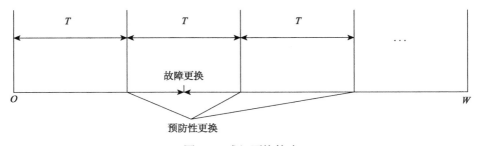

图 5-3　成组更换策略

5.2.2　基于成组更换的单一产品完全维修费用模型

考虑成组更换费用时，主要变量是维修间隔期 T，在不同的维修间隔期 T 内，维修费用会有所不同。维修费用主要包括预防性维修费用和故障维修费用。为了简化研究，做出以下假设：①产品仅处于两种状态：正常和故障；②维修中，定时进行不完全维修，故障时进行最小维修；③进行预防性维修时，以故障间隔期 T 进行成组更换；④总时间 W 长于成组更换间隔期 T；⑤故障维修后，产品的故障率不变；⑥不完全维修和最小维修费用为常数；⑦故障只发生单次，不考虑多重故障同时发生。

根据成组更换要求，产品更换取决于产品是否故障或达到更换间隔期，单次故障更换的总费用为

$$C_f = C_{\mathrm{fr}} + C_d T_f \tag{5-20}$$

其中，C_f 为单次故障更换的总费用；C_{fr} 为单次故障更换平均费用；C_d 为故障更换所用平均时间；T_f 为更换造成停机的单位时间损失。

单次成组更换总费用为

$$C_p = C_{\mathrm{pr}} + C_d T_p \tag{5-21}$$

其中，C_p 为单次成组更换总费用；C_{pr} 为单次成组更换费用；C_d 为更换造成停机的单位时间损失；T_p 为预防性更换所用平均时间。

产品每经过时间 T 即进行更换，假设成组更换间隔期的费用为 C_p，则在成组更换间隔期 T 内所进行的预防性维修总费用 $C(T,W)$：

$$C(T,W) = n\big[\mathrm{EC}_{f1}(T) + C_p\big] + \mathrm{EC}_{f2}\big(W - n(T + T_p)\big) \tag{5-22}$$

其中，$n\big[\mathrm{EC}_{f1}(T) + C_p\big]$ 为维修时间 W 内成组更换次数，$n = \mathrm{int}\big[W/(T + T_p)\big]$，int 表示去尾取整函数；$\mathrm{EC}_{fi}(T)$ 为以间隔期 T 进行成组更换维修时，第 i 个间隔期内故障最小维修（维修）费用的期望值；$\mathrm{EC}_{f2}\big(W - n(T + T_p)\big)$ 为 $W - n(T + T_p)$ 时间内进行故障更换的费用期望值。

$\mathrm{EC}_{f1}(T)^{[77]}$可由式（5-23）表示：

$$\mathrm{EC}_{f1}(T) = C_f \times \mathrm{EN}_b(T) \tag{5-23}$$

其中，$\mathrm{EN}_b(T)$ 为 $[0,T]$ 时间内的故障期望次数。

由故障分布函数 $F(t)$ 对应的更新方程确定，当不考虑更换时间时，式（5-23）变为

$$\mathrm{EN}_b(T) = \int_0^T \left[1 + \mathrm{EN}_b(T-t)\right]\mathrm{d}F(t) \tag{5-24}$$

考虑更换时间，故障次数期望值：

$$\mathrm{EN}_b(T) = \int_0^{T-T_f} \left[1 + \mathrm{EN}_b(T-T_f-t)\right]\mathrm{d}F(t)$$
$$= F(T-T_f) + \int_0^{T-T_f} \left[\mathrm{EN}_b(T-T_f-t)\right]\mathrm{d}F(t) \tag{5-25}$$

假设故障更换时间 T_f 远远小于预防性维修间隔期 T，并且在 $(T-T_f, T)$ 期间发生故障时，不进行故障更换，即预防性维修间隔期 T 内的故障次数和时间 $(T-T_f)$ 内的故障次数相同，则由更新函数得

$$L\big(\mathrm{EN}_b(T)\big) = L\big(\mathrm{EN}_b(T-T_f)\big) = \frac{L\big(F(T-T_f)\big)}{1 - L\big(F(T-T_f)\big)} \tag{5-26}$$

式（5-26）表示在 $(T-T_f, T)$ 期间发生故障时，不进行故障更换，但仍需要考虑由故障造成的损失。当 T 很小且 T_f、C_d 很大时，按照式（5-26）计算 $C_f \times \mathrm{EN}_b(T)$，会产生较大误差，因此，需要对故障期间损失加以考虑。

假设在 $(T-T_f, T)$ 期间发生故障会带来损失，即如果在时刻 t 发生故障，则损失费用为 $\int_{T-T_f}^T (T-t)C_d\mathrm{d}F(t)$。这时，有单次成组更换间隔期 T 内故障费用 $\mathrm{EC}_{f1}(T)$：

$$\mathrm{EC}_{f1}(T) = \int_0^{T-T_f} \left[C_f + \mathrm{EC}_{f1}(T-T_f-t)\right]\mathrm{d}F(t) + \int_{T-T_f}^T (T-t)C_d\mathrm{d}F(t)$$
$$= C_f \times \mathrm{EN}_b(T) + \int_{T-T_f}^T (T-t)C_d\mathrm{d}F(t) \tag{5-27}$$

在 $\left[n(T+T_p), W\right]$ 时间内故障更换费用期望值为

$$\mathrm{EC}_{f2}\big(W - n(T+T_p)\big) = C_f \times \mathrm{EN}_b\big(W - n(T+T_p)\big) \tag{5-28}$$

其中，$\mathrm{EN}_b\big(W - n(T+T_p)\big)$ 为在 $\left[n(T+T_p), W\right]$ 内故障次数期望值。

根据更新函数定理，有

$$L\big(\mathrm{EN}_b(W - n(T+T_p))\big) = \frac{L\big(F(W - n(T+T_p))\big)}{1 - L\big(F(W - n(T+T_p))\big)} \tag{5-29}$$

所以，在成组更换间隔期 T 内的维修费用 $C(T,W)$：

$$
\begin{aligned}
C(T,W) &= n\Big[\mathrm{EC}_{f1}(T)+C_p\Big]+\mathrm{EC}_{f2}\big(W-n(T+T_p)\big) \\
&= n\bigg[C_f\times\mathrm{EN}_b(T)+\int_{T-T_f}^{T}(T-t)C_d\,\mathrm{d}F(t)+C_p\bigg] \\
&\quad +C_f\times\mathrm{EN}_b\big(W-n(T+T_p)\big) \\
&= n\left\{C_f\times L^{-1}\left[\frac{L\big(F(T-T_f)\big)}{1-L\big(F(T-T_f)\big)}\right]+\int_{T-T_f}^{T}(T-t)C_d\,\mathrm{d}F(t)+C_p\right\} \\
&\quad +C_f\times L^{-1}\left[\frac{L\big(F(W-n(T+T_p))\big)}{1-L\big(F(W-n(T+T_p))\big)}\right]
\end{aligned}
\tag{5-30}
$$

5.2.3　基于成组更换的单一产品完全维修可用度模型

由可用度 $A(T,W)$ 定义，维修期内期望可用度 $A(T,W)$ 可以表示为

$$
A(T,W)=\frac{\text{期望可用时间}}{\text{使用期限}}=\frac{W-D(T,W)}{W}
\tag{5-31}
$$

要求取可用度，需要求得期望停机时间。假设对故障来讲，维修时间基本确定，设 T_p 为单次不完全维修所需时间，T_f 为单次修复性维修所需时间，则维修期总的维修时间 $D(T,W)$ 可以表示为

$$
D(T,W)=n\Big[\mathrm{ET}_{f1}(T)+T_p\Big]+\mathrm{ET}_{f2}\big(W-n(T+T_p)\big)
\tag{5-32}
$$

其中，$\mathrm{ET}_{f1}(T)$ 为采用最小维修策略，间隔期为 T 时，间隔期 i 内的维修时间；$\mathrm{ET}_{f2}\big(W-n(T+T_p)\big)$ 为 $\big[n(T+T_p),W\big]$ 时间内的故障采用最小维修所需的维修时间的期望值。

$\mathrm{ET}_{f1}(T)$ 包含故障更换时间以及在 $(T-T_f,T)$ 期间的故障停机时间：

$$
\begin{aligned}
\mathrm{ET}_{f1}(T)&=\int_0^{T-T_f}\Big[T_f+\mathrm{ET}_{f1}(T-T_f-t)\Big]\mathrm{d}F(t) \\
&\quad +\int_{T-T_f}^{T}(T-t)\mathrm{d}F(t)
\end{aligned}
\tag{5-33}
$$

$$
\mathrm{ET}_{f1}(T)=T_f\times\mathrm{EN}_b(T)+\int_{T-T_f}^{T}(T-t)\mathrm{d}F(t)
$$

$\mathrm{ET}_{f2}\big(W-n(T+T_p)\big)$ 为 $(T-T_f,T)$ 期间内进行故障更换时间：

$$\mathrm{ET}_{f2}\left(W-n\left(T+T_p\right)\right)=T_f\times\mathrm{EN}_b\left(W-n\left(T+T_p\right)\right)$$
$$+\int_{W-T_f}^{W}\left[W-n\left(T+T_p\right)-t\right]\mathrm{d}F(t) \tag{5-34}$$

把式（5-33）和式（5-34）代入式（5-32），可得维修期内总的期望停机时间：

$$D(T,W)=\mathrm{int}\left[W/\left(T+T_p\right)\right]T_p+\sum_{i=1}^{n}\int_{(i-1)(T+T_p)}^{iT+(i-1)T_p}\lambda_i(t)\mathrm{d}tT_f+\int_{n(T+T_p)}^{W}\lambda_{(n+1)}(t)\mathrm{d}tT_f \tag{5-35}$$

可得产品的平均可用度 $A(T,W)$：

$$A(T,W)=\frac{W-D(T,W)}{W}$$
$$=1-\frac{1}{W}\left\{n\left[\mathrm{ET}_{f1}(T)+T_p\right]+\mathrm{ET}_{f2}\left(W-n\left(T+T_p\right)\right)\right\}$$
$$=1-\frac{1}{W}\left\{n\left[T_f\times\mathrm{EN}_b(T)+\int_{T-T_f}^{T}(T-t)\mathrm{d}F(t)+T_p\right]\right.$$
$$\left.+T_f\times\mathrm{EN}_b\left(W-n\left(T+T_p\right)\right)+\int_{W-T_f}^{W}\left[W-n\left(T+T_p\right)-t\right]\mathrm{d}F(t)\right\}$$

$$A(T,W)=1-\frac{1}{W}\left(n\left\{T_f\times L^{-1}\left[\frac{L\left(F\left(T-T_f\right)\right)}{1-L\left(F\left(T-T_f\right)\right)}\right]+\int_{T-T_f}^{T}(T-t)\mathrm{d}F(t)+T_p\right\}\right.$$
$$\left.+T_f\times L^{-1}\left[\frac{L\left(F\left(W-n\left(T+T_p\right)\right)\right)}{1-L\left(F\left(W-n\left(T+T_p\right)\right)\right)}\right]+\int_{W-T_f}^{W}\left[W-n\left(T+T_p\right)-t\right]\mathrm{d}F(t)\right)$$
$$\tag{5-36}$$

5.2.4 基于可用度限制的单一产品完全维修费用预测

与不完全维修策略相类似，基于可用度限制的单一产品完全维修费用预测分为面向最低可用度和面向费用可用度比优化两种情况进行讨论。

1. 面向最低可用度要求的单产品维修费用预测

假设最低可用度为 A_0，则需要满足：

$$A(T,W)\geqslant A_0 \tag{5-37}$$

其中，A_0 为最低可用度。

$A(T,W)$ 大小变化主要由成组更换间隔期决定，而其他参数由具体的装备确定。因此，由式（5-37）反推，可得到最长的维修间隔期 $T_{0\max}$。

当 $T_{0\max}$ 确定后，由式（5-37），即可得到面向最低可用度要求的单一产品完全维修费用：

$$C_{0\max}(T,W)=C(T_{0\max},W)$$

即

$$C_{0\max}(T,W)=n\left\{C_f\times L^{-1}\left[\frac{L\big(F(T_{0\max}-T_f)\big)}{1-L\big(F(T_{0\max}-T_f)\big)}\right]+\int_{T_{0\max}-T_f}^{T_{0\max}}(T_{0\max}-t)C_d\mathrm{d}F(t)+C_p\right\}$$

$$+C_f\times L^{-1}\left[\frac{L\big(F(W-n(T_{0\max}+T_p))\big)}{1-L\big(F(W-n(T_{0\max}+T_p))\big)}\right]$$

（5-38）

2. 面向费用可用度比的单产品维修费用优化

费用可用度比 V 可用以下公式表示：

$$V=\frac{C(T,W)}{W}\frac{1}{A(T,W)}$$

（5-39）

其中，W 为维修期总时间；$C(T,W)$ 为维修期总时间 W 内的维修费用；$A(T,W)$ 为维修期总时间 W 内产品的平均可用度。

由 5.2.2 节和 5.2.3 节得到的 $C(T,W)$ 和 $A(T,W)$ 的式和，代入式（5-39）得到费用可用度比：

$$V=\left(n\left\{C_f\times L^{-1}\left[\frac{L\big(F(T-T_f)\big)}{1-L\big(F(T-T_f)\big)}\right]+\int_{T-T_f}^{T}(T-t)C_d\mathrm{d}F(t)+C_p\right\}\right.$$

$$\left.+C_f\times L^{-1}\left[\frac{L\big(F(W-n(T+T_p))\big)}{1-L\big(F(W-n(T+T_p))\big)}\right]\right)\Big/$$

$$\left[W-\left(n\left\{T_f\times L^{-1}\left[\frac{L\big(F(T-T_f)\big)}{1-L\big(F(T-T_f)\big)}\right]+\int_{T-T_f}^{T}(T-t)\mathrm{d}F(t)+T_p\right\}\right.\right.$$

$$\left.\left.+T_f\times L^{-1}\left[\frac{L\big(F(W-n(T+T_p))\big)}{1-L\big(F(W-n(T+T_p))\big)}\right]+\int_{W-T_f}^{W}\big[W-n(T+T_p)-t\big]\mathrm{d}F(t)\right)\right]$$

（5-40）

以上述分析为基础，建立面向费用可用度比的单产品维修费用优化模型：

$$\min V$$

s.t.

$$
V = \left(n \left\{ C_f \times L^{-1} \left[\frac{L\big(F(T-T_f)\big)}{1-L\big(F(T-T_f)\big)} \right] + \int_{T-T_f}^{T} (T-t) C_d \mathrm{d}F(t) + C_p \right\} \right.
$$

$$
\left. + C_f \times L^{-1} \left[\frac{L\big(F(W-n(T+T_p))\big)}{1-L\big(F(W-n(T+T_p))\big)} \right] \right) \Bigg/ \left[W - \left(n \left\{ T_f \times L^{-1} \left[\frac{L\big(F(T-T_f)\big)}{1-L\big(F(T-T_f)\big)} \right] \right. \right. \right.
$$

$$
\left. + \int_{T-T_f}^{T} (T-t) \mathrm{d}F(t) + T_p \right\} + T_f \times L^{-1} \left[\frac{L\big(F(W-n(T+T_p))\big)}{1-L\big(F(W-n(T+T_p))\big)} \right]
$$

$$
\left. + \int_{W-T_f}^{W} \left[W - n(T+T_p) - t \right] \mathrm{d}F(t) \right]
$$

（5-41）

由于上述模型直接求解较为困难，因此，可以运用MATLAB软件对模型进行求解。

5.2.5 示例分析

以某无人机机载无线电产品为例，考虑基于费用可用度比最优情况下的维修费用。假设该产品故障服从指数分布：

$$R(t) = \exp(-0.055t)$$

并假设采用完全维修中的成组更换策略，成组更换维修间隔期为 T，发生故障后进行最小维修，最小维修后故障率不变。单次成组更换费用期望值 $C_{\mathrm{pr}} = 300$ 元，期望时间 $T_p = 1$ 天，采用最小维修策略，每次维修费用 $C_{\mathrm{fr}} = 600$ 元，消耗时间 $T_f = 2$ 天，由于维修造成时间延误，单位时间损失 $C_d = 100$ 元/天。

单次成组更换维修损失：

$$C_p = C_{\mathrm{pr}} + C_d T_p = 300 + 100 \times 1 = 400$$

单次故障损失：

$$C_f = C_{\mathrm{fr}} + C_d T_f = 600 + 100 \times 2 = 800$$

由故障分布函数：

$$F(t) = 1 - R(t) = 1 - \exp(-0.055t)$$

得到维修期 W 内成组更换次数：

$$n = \text{int}\left[W/\left(T + T_p\right)\right] = \text{int}\left[W/T + 1\right]$$

由式（5-26），得到 $[0, T]$ 时间内的期望故障次数：

$$\text{EN}_b\left(T\right) = L^{-1}\left[\frac{L\left(F\left(T - T_f\right)\right)}{1 - L\left(F\left(T - T_f\right)\right)}\right]$$

间隔期 T 内成组更换策略下故障费用期望值由式（5-27）得

$$\text{EC}_{f1}\left(T\right) = C_f \times \text{EN}_b\left(T\right) + \int_{T-T_f}^{T}\left(T - t\right)C_d\,\mathrm{d}F\left(t\right)$$

$$= 800L^{-1}\left[\frac{L\left(F\left(T - T_f\right)\right)}{1 - L\left(F\left(T - T_f\right)\right)}\right] + 5.5 \times \int_{T-2}^{T}\left(T - t\right)\exp\left(-0.055t\right)\mathrm{d}t$$

由式（5-29），得 $\left[n\left(T + T_p\right), W\right]$ 时间内期望故障次数：

$$\text{EN}_b\left(W - n\left(T + T_p\right)\right) = L^{-1}\left[\frac{L\left(F\left(W - n\left(T + T_p\right)\right)\right)}{1 - L\left(F\left(W - n\left(T + T_p\right)\right)\right)}\right]$$

由式（5-28），得 $\left[n\left(T + T_p\right), W\right]$ 时间内故障更换费用期望值：

$$\text{EC}_{f2}\left(W - n\left(T + T_p\right)\right) = C_f \times \text{EN}_b\left(W - n\left(T + T_p\right)\right)$$

$$= 800L^{-1}\left[\frac{L\left(F\left(W - n\left(T + 1\right)\right)\right)}{1 - L\left(F\left(W - n\left(T + 1\right)\right)\right)}\right]$$

所以，把 n、$\text{EC}_{f1}\left(T\right)$、$\text{EC}_{f2}\left(W - n\left(T - T_p\right)\right)$ 代入式（5-22），得维修期 W 内维修费用：

$$C\left(T, W\right) = n\left[\text{EC}_{f1}\left(T\right) + C_p\right] + \text{EC}_{f2}\left(W - n\left(T + T_p\right)\right)$$

$$= \left\{\text{int}\left[W/\left(T + 1\right)\right]\right\} \times \left\{800L^{-1}\left[\frac{L\left(F\left(T - 2\right)\right)}{1 - L\left(F\left(T - 2\right)\right)}\right]\right.$$

$$+ 5.5 \times \int_{T-2}^{T}\left(T - t\right)\exp\left(-0.055t\right)\mathrm{d}t + 400\right\}$$

$$+ 800L^{-1}\left[\frac{L\left(F\left(W - \left\{\text{int}\left[W/\left(T + 1\right)\right]\right\}\left(T + 1\right)\right)\right)}{1 - L\left(F\left(W - \left\{\text{int}\left[W/\left(T + 1\right)\right]\right\}\left(T + 1\right)\right)\right)}\right]$$

故障停机期望时间：

$$\mathrm{ET}_{f1}(T) = T_f \times \mathrm{EN}_b(T) + \int_{T-T_f}^{T}(T-t)\mathrm{d}F(t)$$

$$= 2L^{-1}\left[\frac{L\big(F\big(T-T_f\big)\big)}{1-L\big(F\big(T-T_f\big)\big)}\right]$$

$$+ 0.055 \times \int_{T-2}^{T}(T-t)\exp(-0.055t)\mathrm{d}t$$

在 $\left[n\big(T+T_p\big), W\right]$ 时间内，因故障更换停机期望时间：

$$\mathrm{ET}_{f2}\big(W-n\big(T+T_p\big)\big) = T_f \times \mathrm{EN}_b\big(W-n\big(T+T_p\big)\big)$$

$$+ \int_{W-T_f}^{W}\big(W-n\big(T+T_p\big)-t\big)\mathrm{d}F(t)$$

$$= 2L^{-1}\left[\frac{L(F(W-n(T+T_p)))}{1-L(F(W-n(T+T_p)))}\right]$$

$$+ 0.055 \times \int_{W-2}^{W}\big(W-n\big(T+T_p\big)\big)-t\exp(-0.055t)\mathrm{d}t$$

可用度：

$$A(T,W) = 1 - \frac{1}{W}\left\{n\left[\mathrm{ET}_{f1}(T)+T_p\right]+\mathrm{ET}_{f2}\big(W-n\big(T+T_p\big)\big)\right\}$$

$$= 1 - \frac{\mathrm{int}\left[W/(T+1)\right]}{W}$$

$$\times\left\{2L^{-1}\left[\frac{L\big(F(T-2)\big)}{1-L\big(F(T-2)\big)}\right]+0.055\times\int_{T-2}^{T}(T-t)\exp(-0.055t)\mathrm{d}t+1\right\}$$

$$-\frac{1}{W}\left\{2L^{-1}\left[\frac{L\big(F\big(W-\{\mathrm{int}\left[W/(T+1)\right]\}(T+1)\big)\big)}{1-L\big(F\big(W-\{\mathrm{int}\left[W/(T+1)\right]\}(T+1)\big)\big)}\right]\right.$$

$$\left.+0.055\times\int_{W-2}^{W}\big(W-\{\mathrm{int}\left[W/(T+1)\right]\}(T+1)-t\big)\exp(-0.055t)\mathrm{d}t\right\}$$

费用可用度比：

$$V = \frac{C(T,W)}{W}\frac{1}{A(T,W)}$$

运用 MATLAB 软件对上式进行计算，得到费用可用度比，如图 5-4 所示。

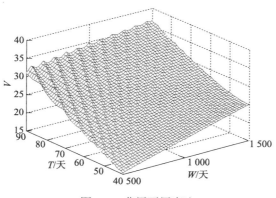

图 5-4　费用可用度比

若总时间为 1 800 天，最优费用可用度比为 33.63，相对应的费用为 72 元/天。

根据图 5-4 所示结果，可以明确在不同总时间 W 和不同的维修间隔期内，费用可用度比会有所不同。因此，进行最优费用可用度比决策时，不单要考虑费用可用度比，还应综合考虑管理因素。

第6章 基于多产品的合同商保障费用预测

合同商保障往往不光针对单个产品，也有针对由多产品组成的系统的情况，多个产品之间故障既可能相互独立，也可能有关联。本章主要针对多产品情况展开研究。

6.1 基于分组机会维修策略的故障独立多产品费用预测

6.1.1 分组机会维修策略相关概念

多产品维修方式主要包括成组维修策略和机会维修策略[78]。而分组机会维修策略将成组维修和机会维修相结合，首先对故障独立的多产品进行分组，并在分组产品进行预防性维修时考虑机会维修。下面对三种维修策略分别加以描述。

1. 成组维修策略

成组维修策略[79]是根据确定的单产品维修间隔期，将多产品预防性维修进行分组，形成面向多产品的维修方案。在成组维修策略后，系统为修复如新状态。成组维修包括修复性和预防性两类。修复性成组维修策略主要适用于冗余系统。当单个产品发生故障时，可以暂时不进行维修，只有其他冗余产品也发生故障时该类产品才进行维修。

预防性成组维修是通过制订维修计划，将多个产品进行分组，按照时间分别进行成组维修。成组维修策略可用 (m, T) 表示，即满足产品运行时间达到 T 或者

故障次数超过 m，则对系统中所有该类产品进行维修，而之前仅对故障产品进行维修[80]。这里的维修主要是指修复如新的维修。为了方便成组维修管理，通常将多种产品维修间隔期调整为基本时间 T 的整数倍，进而将原来优化过的单产品维修间隔期进行分组。

2. 机会维修策略

机会维修可以看作系统中一个产品发生故障，或达到维修阈值时，就为系统中其他产品提供了维修机会，也就是在对系统中某个产品进行维修的同时，根据其他产品情况，对他们进行预防性维修。

机会维修中，假设 J_i、T_i 分别表示机会维修和预防性维修役龄。若产品在 $(0, J_i)$ 期间发生故障，则采用最小维修，使修复后故障率与故障前故障率相同；若产品在 (J, T_i) 期间故障，或系统中其他产品故障，或在预防性维修中需要进行更换时，则该产品进行更换；若产品役龄超过 T_i 时，则进行更换。

3. 分组机会维修策略

典型的分组机会策略主要针对串联系统，若系统由 q 个部件串联，$\tau_i (i = 1, 2, 3, \cdots, q)$ 表示部件 i 的预防性维修间隔期，且预防性维修后产品修复如新。运用分组机会维修策略，主要进行优化分组和机会维修两个操作。优化分组主要针对不同产品故障率存在差异、不方便维修管理的问题，对多产品进行分组并实施预防性维修；机会维修是在系统故障必须维修时，决策哪组产品进行预防性维修。

分组机会维修中，若 τ 为基础预防性维修时间，τ 可以采用各个维修间隔期最小值，即 $\tau = \min_{i=1,\cdots,q} \tau_i$；也可以根据不同维修间隔期取最大公约数的近似值。假定不同部件的预防性维修时间均近似为 τ 的整数倍，即 $\tau_i = k_i \tau$，k_i 为整数且 $k_i \geqslant 1 (i = 1, 2, \cdots, q)$。分组后，如果不发生故障，则按照分组进行维修；而机会维修决策根据预防性维修部件的费用/效益分析得出：如果机会维修费用低于故障维修费用，就进行机会维修，否则在下次预防性维修节点进行预防性维修。

6.1.2　基于分组机会维修策略的故障独立多产品费用模型

为了方便研究，对基于分组机会维修策略的故障独立多产品费用预测问题，提出如下假设：①系统内产品为串联关系，且不同产品故障独立；②产品仅处于两种状态：正常和故障；③进行预防性维修时，以故障间隔期 T 进行成组更换；④总时间 W 长于成组更换间隔期 T；⑤故障维修后产品修复如新；⑥不完全维修和最小维修费用为常数；⑦故障只发生单次，不考虑多重故障同时发生。

系统预防性维修时，总费用包括定期维修费用、机会维修费用以及因预防性维修停机造成损失：

$$C_{sys}^p = C_0^p + \sum_{i \in G_p} C_i^p + C_d T_p \qquad (6-1)$$

其中，C_{sys}^p 为系统预防性维修总费用；C_0^p 为定期维修费用；C_i^p 为部件 i 机会维修费用；C_d 为单位时间维修停机造成的损失；T_p 为维修停机时间。

故障维修时，总费用包括故障维修费用、机会维修费用以及因预防性维修停机造成的损失。假设对于同一产品的预防性维修费用与机会维修费用相同，则单次故障维修费用为

$$C_{sys,j}^f = C_j^f + \sum_{\substack{i \in G_h \\ i \neq j}} C_i^p + C_d T_f \qquad (6-2)$$

其中，j 为故障产品编号；$C_{sys,j}^f$ 为产品 j 故障时的系统维修费用；C_j^f 为产品 j 故障后维修所需费用；C_i^p 为部件 i 机会维修费用；C_d 为单位时间维修停机造成的损失；T_p 为维修停机时间。

假设系统内经过时间 T 后，所有产品均同时进行维修，则

$$T = k\tau \qquad (6-3)$$

其中，T 为系统内全部产品均需维修所需要的间隔期；k 为参数，$k = \mathrm{lcm}\{k_1, k_2, \cdots, k_q\}$，lcm 表示最小公倍数；$\tau$ 为基本时间长度。

假定在维修期 W 内需要经历 n 个全维修间隔期，即

$$n = \mathrm{int}\left[W / (T + T_p) \right] \qquad (6-4)$$

剩余维修时间 $(W - n(T + T_p))$ 内含有 n' 个基础间隔期 τ，即

$$n'\tau = W - n(T + T_p) \qquad (6-5)$$

由于假定系统为串联系统，任何部件发生故障均会导致系统故障，即

$$F_{sys,j}(\bullet) = F_{sys}(\bullet) \qquad (6-6)$$

在每次基础的维修时间 $\tau_k = k\tau$ 内，维修费用包括故障后的维修费用、预防性维修费用和机会维修费用。则维修期 W 内的维修费用包括 n 个全维修间隔期费用和 n' 个基础间隔期维修费用：

$$C(T, W) = nC(T, \tau) + n'C\left(T, W - n(T, T_p)\right) \qquad (6-7)$$

采用分组机会维修策略的全维修间隔期 T 的维修费用：

$$C(T,\tau) = \sum_{k=1}^{K}\left\{\sum_{j=1}^{q}\int_{0}^{\tau}\left[C_{j}^{c} + \sum_{i\in G_{h_k}}C_{i}^{p} + C_{d}T_{f} + C\left(\tau, T - x - T_{f}\right)\right]\mathrm{d}F_{\mathrm{sys},j}\left(kx\right)\right\}$$

$$+ \sum_{k=1}^{K}\left\{\left[C_{0}^{p} + \sum_{i\in G_{pk}}C_{i}^{p} + C_{d}T_{p} + C\left(\tau, T - x - T_{p}\right)\right]\left[1 - F_{\mathrm{sys}}\left(k\tau\right)\right]\right\}$$

（6-8）

采用分组机会维修策略，时间 $\left(W - n\left(T + T_{p}\right)\right)$ 内的基础间隔期内的维修费用：

$$C\left(T, W - n\left(T + T_{p}\right)\right)$$

$$= \sum_{k=1}^{K}\left\{\sum_{j=1}^{q}\int_{0}^{\tau}\left[C_{j}^{c} + \sum_{i\in G_{h_k}}C_{i}^{p} + C_{d}T_{f} + C\left(\tau, \left(W - n\left(T + T_{p}\right)\right) - x - T_{f}\right)\right]\mathrm{d}F_{\mathrm{sys},j}\left(kx\right)\right\}$$

$$+ \sum_{k=1}^{K}\left\{\left[C_{0}^{p} + \sum_{i\in G_{pk}}C_{i}^{p} + C_{d}T_{p} + C\left(\tau, \left(W - n\left(T + T_{p}\right)\right) - x - T_{p}\right)\right]\left[1 - F_{\mathrm{sys}}\left(k\tau\right)\right]\right\}$$

（6-9）

其中，G_{hk} 为间隔期 $\left[(k-1)\tau, k\tau\right]$ 内产品发生故障时，需要对其他产品进行机会维修的集合；G_{pk} 为在时刻 $k\tau$ 进行预防性维修的产品集合。

将式（6-8）、式（6-9）代入式（6-7），可得到分组机会维修策略下的维修费用：

$$C(T, W)$$

$$= nC(T, \tau) + n'C\left(T, W - n\left(T + T_{p}\right)\right)$$

$$= n\left(\sum_{k=1}^{K}\left\{\sum_{j=1}^{q}\int_{0}^{\tau}\left[C_{j}^{c} + \sum_{i\in G_{h_k}}C_{i}^{p} + C_{d}T_{f} + C\left(\tau, T - x - T_{f}\right)\right]\mathrm{d}F_{\mathrm{sys},j}\left(kx\right)\right\}\right.$$

$$+ \sum_{k=1}^{K}\left\{\left[C_{0}^{p} + \sum_{i\in G_{pk}}C_{i}^{p} + C_{d}T_{p} + C\left(\tau, T - x - T_{p}\right)\right]\left[1 - F_{\mathrm{sys}}\left(k\tau\right)\right]\right\}\right)$$

$$+ n'\left(\sum_{k=1}^{K}\left\{\sum_{j=1}^{q}\int_{0}^{\tau}\left[C_{j}^{c} + \sum_{i\in G_{h_k}}C_{i}^{p} + C_{d}T_{f} + C\left(\tau, \left(W - n\left(T + T_{p}\right)\right) - x - T_{f}\right)\right]\mathrm{d}F_{\mathrm{sys},j}\left(kx\right)\right\}\right.$$

$$+ \sum_{k=1}^{K}\left\{\left[C_{0}^{p} + \sum_{i\in G_{pk}}C_{i}^{p} + C_{d}T_{p} + C\left(\tau, \left(W - n\left(T + T_{p}\right)\right) - x - T_{p}\right)\right]\left[1 - F_{\mathrm{sys}}\left(k\tau\right)\right]\right\}\right)$$

（6-10）

6.1.3　基于分组机会维修策略的故障独立多产品可用度模型

维修期 W 内的期望可用度为

$$A(T,W) = \frac{W - D(T,W)}{W} \tag{6-11}$$

维修期 W 内的平均停机时间：

$$D(T,W) = nD(T,\tau) + n'\big(T, W - n(T + T_p)\big) \tag{6-12}$$

采用分组机会维修策略的全维修间隔期 T 内系统停机期望时间：

$$D(T,\tau) = \sum_{k=1}^{K}\left\{\sum_{j=1}^{q}\int_{0}^{\tau}\Big[T_f + D\big(\tau, T - x - T_f\big)\Big]\mathrm{d}F_{\mathrm{sys},j}(kx)\right\}$$
$$+ \sum_{k=1}^{K}\left\{\Big[T_p + D\big(\tau, T - x - T_p\big)\Big]\Big[1 - F_{\mathrm{sys}}(k\tau)\Big]\right\} \tag{6-13}$$

时间 $\big(W - n(T + T_p)\big)$ 内的每个基础间隔期内的停机期望时间：

$$D\big(T, W - n(T + T_p)\big) = \sum_{j=1}^{q}\int_{0}^{\tau}\Big[T_f + D\big(\tau, (W - nT) - x - T_f\big)\Big]\mathrm{d}F_{\mathrm{sys},j}(x)$$
$$+ \Big[T_p + D\big(\tau, (W - nT) - x - T_p\big)\Big]\Big[1 - F_{\mathrm{sys}}(\tau)\Big] \tag{6-14}$$

则有

$$A(T,W) = \frac{W - D(T,W)}{W} = 1 - \frac{1}{W}\Big[nD(T,\tau) + n'\big(T, W - n(T + T_p)\big)\Big] \tag{6-15}$$

把式（6-13）、式（6-14）代入式（6-15），得到基于分组机会维修策略的系统可用度为

$$A(T,W) = \frac{W - D(T,W)}{W} = 1 - \frac{1}{W}\left(n\left(\sum_{k=1}^{K}\left\{\sum_{j=1}^{q}\int_{0}^{\tau}\Big[T_f + D\big(\tau, T - x - T_f\big)\Big]\mathrm{d}F_{\mathrm{sys},j}(kx)\right\}\right.\right.$$

$$+ \sum_{k=1}^{K}\left\{\Big[T_p + D\big(\tau, T - x - T_p\big)\Big]\Big[1 - F_{\mathrm{sys}}(k\tau)\Big]\right\}\Bigg)$$

$$+ n\left\{\sum_{j=1}^{q}\int_{0}^{\tau}\Big[T_f + D\big(\tau, (W - nT) - x - T_f\big)\Big]\mathrm{d}F_{\mathrm{sys},j}(x)\right.$$

$$+ \Big[T_p + D\big(\tau, (W - nT) - x - T_p\big)\Big]\Big[1 - F_{\mathrm{sys}}(\tau)\Big]\bigg\}\Bigg)$$

$$\tag{6-16}$$

6.1.4　基于可用度优化的故障独立多产品费用预测

尽管 6.1.3 节给出了费用和可用度的计算方法，但是要想实现费用预测，必须明确如何确定合适的参数。只有经过优化，系统的费用和可用度才有意义。由表达式（6-10）和式（6-16）可知，进行多产品费用预测，需要明确的参数包括 $W, T, \tau, k_1, k_2, \cdots, k_q$ 等，因此，本节主要基于可用度和费用综合优化的情况下，确定参数，进而得到多产品系统的费用预测。

由文献[81]，运用数值分析方法对计算公式加以简化：

$$\int_0^\tau C\left(\tau, T-x-T_f\right) \mathrm{d}F(x) = C\left(\tau, T-\tau-T_f\right)F(\tau)$$
$$+ \int_{T-T_f-\tau}^{T-T_f} F\left(T-x-T_f\right)\mathrm{d}C(\tau, x) \tag{6-17}$$

则全维修间隔期 T 内总费用 $C(T, \tau)$ 改写为

$$C(T, \tau) = \sum_{k=1}^{K}\left\{\sum_{j=1}^{q}\left[C_j^f + \sum_{i \in G_{h_k}} C_i^p + C_d T_f + C\left(\tau, T-x-T_f\right)\right]F_{\mathrm{sys}, j}\left(k\tau\right)\right\}$$
$$+ \sum_{k=1}^{K}\left\{\left[C_0^p + \sum_{i \in G_{p_k}} C_i^p + C_d T_p + C\left(\tau, T-x-T_p\right)\right]\left[1-F_{\mathrm{sys}}\left(k\tau\right)\right]\right\} \tag{6-18}$$
$$+ \sum_{k=1}^{K}\left[\int_{T-T_f-\tau}^{T-T_f} F\left(T-x-T_f\right)\mathrm{d}C(\tau, x)\right]$$

时间 $\left(W-n\left(T+T_p\right)\right)$ 内的基础间隔期内维修费用 $C\left(T, W-n\left(T+T_p\right)\right)$：

$$C\left(T, W-n\left(T+T_p\right)\right)$$
$$= \sum_{j=1}^{q}\left[C_j^c + \sum_{i \in G_{h_k}} C_i^p + C_d T_f + C\left(\tau, \left(W-n\left(T+T_p\right)\right)-\tau-T_f\right)\right]F_{\mathrm{sys}, j}\left(\tau\right)$$
$$+ \left[C_0^p + \sum_{i \in G_{p_k}} C_i^p + C_d T_p + C\left(\tau, \left(W-n\left(T+T_p\right)\right)-\tau-T_p\right)\right]\left[1-F_{\mathrm{sys}}\left(\tau\right)\right] \tag{6-19}$$
$$+ \int_{\left(W-n\left(T+T_p\right)\right)-T_f-\tau}^{\left(W-n\left(T+T_p\right)\right)-T_f} F\left[\left(W-n\left(T+T_p\right)\right)-x-T_f\right]\mathrm{d}C(\tau, x)$$

将式（6-18）和式（6-19）代入式（6-7），可得费用 $C(T, W)$。

全维修间隔期 T 内系统停机期望时间：

$$D(T,\tau) = \sum_{k=1}^{K}\left\{\sum_{j=1}^{q}\left[T_f + D(\tau,T-x-T_f)\right]F_{\text{sys},j}(k\tau)\right\}$$
$$+ \sum_{k=1}^{K}\left\{\left[T_p + D(\tau,T-x-T_p)\right]\left[1-F_{\text{sys}}(k\tau)\right] + \int_{T-T_f-\tau}^{T-T_f}F\left[T-x-T_f\right]\mathrm{d}D(\tau,x)\right\}$$

$$(6\text{-}20)$$

时间 $\left(W-n(T+T_p)\right)$ 内,单个基础间隔期内的停机期望时间:

$$D\left(T,W-n(T,T_p)\right) = \sum_{j=1}^{q}\left[T_f + D\left(\tau,\left(W-n(T+T_p)\right)-x-T_f\right)\right]F_{\text{sys},j}(x)$$
$$+ \left[T_p + D\left(\tau,\left(W-n(T-T_p)\right)-x-T_p\right)\right]\left[1-F_{\text{sys}}(\tau)\right] \quad (6\text{-}21)$$
$$+ \int_{\left(W-n(T+T_p)\right)-T_f-\tau}^{\left(W-n(T+T_p)\right)-T_f}F\left[\left(W-n(T-T_p)\right)-x-T_f\right]\mathrm{d}D(\tau,x)$$

把式(6-20)、式(6-21)代入式(6-15),即可得到可用度 $A(T,W)$ 的表达式。

6.1.5 示例分析

某新装备降湿机由制冷压缩机、油分离器、水冷式冷凝器、贮液器、干燥过滤器、电磁膨胀阀、表面式蒸发器、循环冷却泵、离心式通风机、压力继电器、高压表、低压表、油压表和电动机等产品组成[82]。经过分析,故障产品主要为压缩机、冷凝器、节流阀、蒸发器。

假设各产品故障服从威布尔分布, m 、 η 分别为形状参数和尺度参数,各产品相关维修参数如表 6-1 所示。

表 6-1 各产品维修参数

产品名称	m	η	C_p/元	C_f/元	C_d/(元/天)	T_p/天	T_f/天
压缩机	2.68	1 094	600	5 000	1 200	3	7
冷凝器	3.55	736	200	400	1 200	2	4
节流阀	2.43	286	800	1 000	1 200	1	2
蒸发器	1.73	486	500	2 200	1 200	1	3

假定维修期为 1 080 天,运用前述方法获得各产品维修费用 C 和可用度 A ,以及最优维修间隔期 τ ,如表 6-2 所示。

表 6-2　单个产品优化后参数

产品	τ/天	C/元	A
压缩机	737	59 692	0.961 3
冷凝器	385	61 042	0.970 2
节流阀	108	42 703	0.928 4
蒸发器	197	74 261	0.935 5

采用不同参数情况，对模型进行计算，得到结果如表 6-3 所示。

表 6-3　不同维修分组优化解

序号	维修分组 k_1-k_2-k_3-k_4	τ/天	最优维修时间 $\tau_1/\tau_2/\tau_3/\tau_4$ /天	C/元	A
1	1-1-1-1	99	99/99/99/99	1 864.92	0.854 7
2	7-2-1-1	124	868/248/124/124	590.894	0.961 2
3	6-4-1-1	111	666/444/111/111	576.362	0.959 0
4	7-4-1-1	110	770/440/110/110	576.039	0.958 9
5	6-2-1-2	135	810/270/135/270	561.913	0.958 2
6	7-4-1-2	124	868/496/124/248	560.669	0.965 4
7	6-3-2-2	124	744/372/248/248	534.871	0.968 8
8	6-4-1-2	105	630/420/105/210	510.032	0.903 1

可见，第 6 组相对参数最优，在此情况下，基础维修间隔期为 124 天。

6.2　基于相关系数的故障相关多产品费用预测

6.1 节考虑不同产品间故障独立情况，但实际上故障之间相互影响，本节主要针对在故障影响的情况下，多产品系统的维修费用预测问题。

6.2.1　基于相关系数的故障相关描述

产品故障影响主要包括两个方面[36]：一是产品故障导致被影响产品以概率 p 发生故障；二是产品故障增加了被影响产品的老化程度。采用文献[83]基于分离

系统方法对相关故障进行研究，即对于由 q 个产品组成的系统中的产品故障后，被影响产品的故障率变为

$$\{\lambda(t)\} = [I]\{\lambda_0(t)\} + [\theta(t)]\{\lambda(t)\}_B \qquad (6\text{-}22)$$

其中，$\{\lambda(t)\}$ 为相关故障率，为 $q \times 1$ 矢量；$\{\lambda(t)\}_B$ 为被影响产品故障率，为 $q \times 1$ 故障矢量；$\{\lambda_0(t)\}$ 为 $q \times 1$ 独立故障矢量；$[I]$ 为 $q \times q$ 单位矩阵；$[\theta(t)]$ 为相关系数矩阵，其中的元素 $\theta_{ab}(t)(a, b = 1, 2, \cdots, q)$ 是相关系数，表示产品 b 故障对产品 a 的影响程度，$0 \leqslant \theta_{ab} \leqslant 1$，其中，$\theta_{ab} = 0$ 时，表示产品间无影响，$\theta_{ab} = 1$ 时，表示产品 b 故障，则产品 a 必然也故障。

6.2.2　基于相关系数的故障相关多产品费用模型

考虑故障相关，采用上述相关系数描述方法，对多产品费用进行研究，主要进行以下假设：①系统内产品为串联关系，由关键产品和一般产品组成，且不同产品故障相关，且相关关系可由相关系数描述；②产品仅处于两种状态：正常和故障；③产品具有老化特性，且故障率随时间增加；④系统在维修期 W 内采用定期预防性维修策略，且在系统内产品故障时，对系统停机维修；⑤产品不完全预防性维修后的改善因子是常数；⑥假设每次对同一产品的预防性维修费用和最小维修费用为常数，且停机时间也是常数；⑦故障只发生单次，不考虑多重故障同时发生。

基于上述假设，本节主要考虑由一个关键件和子系统组成的二部件系统，在维修期内进行定期不完全预防性维修，当关键件发生故障时，会导致子系统故障率 λ_{sb} 增加，故障后需要对关键件进行最小维修，维修后故障率 λ_k 不变；在子系统故障时，会导致关键件立即故障，此时需对整个系统进行最小维修。

假定在系统维修期内，进行维修间隔期为 T 的不完全预防性维修，单次预防性维修费用 C_p 为预防性维修费用与停机损失之和：

$$C_p = C_{pr} + C_d T_p \qquad (6\text{-}23)$$

其中，T_p 为预防性维修所用平均时间。

系统在维修期内的维修费用可表示为

$$\begin{aligned} C(T, W) &= nC_p + \sum_{j=1}^{n} \mathrm{EC}_j(T) \\ &\quad + \mathrm{EC}\big(W - n(T + T_p)\big) \end{aligned} \qquad (6\text{-}24)$$

其中，n 为维修期 W 内预防性维修的次数，$n = \text{int}\left[W/\left(T + T_p\right)\right]$；$\text{EC}_j(T)$ 为在第 $j(1 \leqslant j \leqslant n)$ 个预防性维修间隔期 T 采用不完全维修的系统故障的平均费用；$\text{EC}\left(W - n\left(T + T_p\right)\right)$ 为在 $\left[n\left(T + T_p\right), W\right]$ 时间内系统故障维修费用。

由于采用不完全维修，在第 j 个不完全预防性维修间隔期内，关键件的故障率 $\lambda_{jk}(t)$ 可由递推关系得

$$\lambda_{jk}(t) = \lambda_k\left(t - (j-1)\alpha T\right) \tag{6-25}$$

关键件故障，导致子系统故障率 λ_{sb} 增加，由故障率影响系数定义，则子系统在第 j 个不完全预防性维修间隔期的故障率为

$$\begin{aligned} \overline{\lambda}_{jsb}(t) &= \lambda_{sb}\left(t - (j-1)\alpha T\right) \\ &\quad + \theta\left\{\sum_{i=1}^{j}\left[n_{ik}\lambda_k\left(t - (i-1)\alpha T\right)\right] - \frac{1}{2}n_{jk}\lambda_k(t)\right\} \end{aligned} \tag{6-26}$$

关键件在第 j 个预防性维修间隔期的故障次数：

$$n_{jk} = \int_{(j-1)(T+T_p)}^{jT+(j-1)T_p} \lambda_{jk}(t)\,\mathrm{d}t \tag{6-27}$$

子系统在第 j 个预防性维修间隔期内的故障次数：

$$n_{jsb} = \int_{(j-1)(T+T_p)}^{jT+(j-1)T_p} \overline{\lambda}_{jsb}(t)\,\mathrm{d}t \tag{6-28}$$

即可得到系统的故障维修费用：

$$\text{EC}_j(T) = \left(n_{jk} + n_{jsb}\right)C_f \tag{6-29}$$

同理，在 $\left[n\left(T + T_p\right), W\right]$ 时间内关键件故障期望次数：

$$n_{(n+1)k} = \int_{n(T+T_p)}^{W} \lambda_{(n+1)k}(t)\,\mathrm{d}t \tag{6-30}$$

子系统在 $\left[n\left(T + T_p\right), W\right]$ 时间内故障期望次数：

$$n_{(n+1)sb} = \int_{n(T+T_p)}^{W} \overline{\lambda}_{(n+1)sb}(t)\,\mathrm{d}t \tag{6-31}$$

在 $\left[n\left(T + T_p\right), W\right]$ 时间内故障维修平均费用：

$$\text{EC}\left(W - n\left(T, T_p\right)\right) = \left(n_{(n+1)k} + n_{(n+1)sb}\right)C_f \tag{6-32}$$

将式（6-29）、式（6-32）代入式（6-24），可得系统维修期内的维修费用函数：

$$
\begin{aligned}
C(T,W) &= nC_p + \sum_{j=1}^{n} \mathrm{EC}_j(T) + \mathrm{EC}\big(W - n(T + T_p)\big) \\
&= nC_p + \sum_{j=1}^{n} \Big[\big(n_{jk} + n_{jsb}\big)C_f\Big] + \big(n_{(n+1)k} + n_{(n+1)sb}\big)C_f \\
&= nC_p + \sum_{j=1}^{n} \left\{ \int_{(j-1)(T+T_p)}^{jT+(j-1)T_p} \Big[\lambda_{jk}(t) + \overline{\lambda}_{jsb}(t)\Big]\mathrm{d}t\, C_f \right\} \\
&\quad + \int_{n(T+T_p)}^{W} \Big[\lambda_{(n+1)k}(t) + \overline{\lambda}_{(n+1)sb}(t)\Big]\mathrm{d}t\, C_f
\end{aligned}
\tag{6-33}
$$

6.2.3 基于相关系数的故障相关多产品可用度模型

维修期内期望可用度 $A(T,W)$ ：

$$
A(T,W) = \frac{\text{期望可用时间}}{\text{使用期限}} = \frac{W - D(T,W)}{W}
\tag{6-34}
$$

T_p 、 T_f 代替 C_p 、 C_f ，可得预防性维修间隔期为 T 时，维修期 W 内的期望停机时间：

$$
D(T,W) = nT_p + \sum_{j=1}^{n} \mathrm{ET}_j(T) + \mathrm{ET}\big(W - n(T + T_p)\big)
\tag{6-35}
$$

其中， $\mathrm{ET}_j(T)$ 为在第 j 个预防性维修间隔期内的产品故障期望时间； $\mathrm{ET}\big(W - n(T + T_p)\big)$ 为 $\big[n(T+T_p),W\big]$ 时间内平均停机时间。

则第 j 个维修间隔期 T 内系统故障的平均停机时间为

$$
\mathrm{ET}_j(T) = \big(n_{jk} + n_{jsb}\big)T_f = \int_{(j-1)(T+T_p)}^{jT+(j-1)T_p} \Big[\lambda_{jk}(t) + \overline{\lambda}_{jsb}(t)\Big]\mathrm{d}t\, T_f
\tag{6-36}
$$

系统在 $\big[n(T+T_p),W\big]$ 时间内故障维修时间可表示为

$$
\mathrm{ET}\big(W - n(T + T_p)\big) = \big(n_{(n+1)k} + n_{(n+1)sb}\big)T_f = \int_{n(T+T_p)}^{W} \Big[\lambda_{(n+1)k}(t) + \overline{\lambda}_{(n+1)sb}(t)\Big]\mathrm{d}t\, T_f
\tag{6-37}
$$

所以，将式（6-36）、式（6-37）代入式（6-35）中可得

$$
\begin{aligned}
D(T,W) &= nT_p + \sum_{j=1}^{n} \left\{ \int_{(j-1)(T+T_p)}^{jT+(j-1)T_p} \Big[\lambda_{jk}(t) + \overline{\lambda}_{jsb}(t)\Big]\mathrm{d}t\, T_f \right\} \\
&\quad + \int_{n(T+T_p)}^{W} \Big[\lambda_{(n+1)k}(t) + \overline{\lambda}_{(n+1)sb}(t)\Big]\mathrm{d}t\, T_f
\end{aligned}
\tag{6-38}
$$

将式（6-38）代入式（6-34）可得可用度：

$$
\begin{aligned}
A(T,W) &= 1 - \frac{1}{W}D(T,W) \\
&= 1 - \frac{1}{W}\left[nT_p + \sum_{j=1}^{n}\mathrm{ET}_j(T) + \mathrm{ET}\left(W - n(T + T_P)\right) \right] \\
&= 1 - \frac{1}{W}\left(nT_p + \sum_{j=1}^{n}\left\{ \int_{(j-1)(T+T_p)}^{jT+(j-1)T_p}\left[\lambda_{jk}(t) + \overline{\lambda}_{jsb}(t) \right]\mathrm{d}t\, T_f \right\} \right. \\
&\quad \left. + \int_{n(T+T_p)}^{W}\left[\lambda_{(n+1)k}(t) + \overline{\lambda}_{(n+1)sb}(t) \right]\mathrm{d}t\, T_f \right)
\end{aligned}
\tag{6-39}
$$

6.2.4 基于可用度约束的故障相关多产品费用模型

为获得合理的费用效益比值，需要对参数进行优化分析。单位时间费效比函数表示如下：

$$
V = \frac{C(T,W)}{W}\frac{1}{A(T,W)}
\tag{6-40}
$$

将式（6-27）和式（6-33）代入式（6-40），可得单位时间费效比：

$$
V = \frac{\left(nC_p + \sum_{j=1}^{n}\left\{ \int_{(j-1)(T+T_p)}^{jT+(j-1)T_p}\left[\lambda_{jk}(t) + \overline{\lambda}_{jsb}(t) \right]\mathrm{d}t\, C_f \right\} + \int_{n(T+T_p)}^{W}\left[\lambda_{(n+1)k}(t) + \overline{\lambda}_{(n+1)sb}(t) \right]\mathrm{d}t\, C_f \right)}{W - \left(nT_p + \sum_{j=1}^{n}\left\{ \int_{(j-1)(T+T_p)}^{jT+(j-1)T_p}\left[\lambda_{jk}(t) + \overline{\lambda}_{jsb}(t) \right]\mathrm{d}t\, T_f \right\} + \int_{n(T+T_p)}^{W}\left[\lambda_{(n+1)k}(t) + \overline{\lambda}_{(n+1)sb}(t) \right]\mathrm{d}t\, T_f \right)}
\tag{6-41}
$$

运用 MATLAB 软件对维修费用模型、可用度模型及单位时间费效比决策模型进行优化仿真，即可提出不完全维修策略下的最优维修期，形成不同维修期限对应的维修数据，进而对比，可得最优维修期。

6.2.5 示例分析

以某新武器中的柴油机为例，对本章方法进行示例分析。柴油机是武器系统底盘核心部件。柴油机由增压器、机油泵、运动件及配气机构等产品构成。其中增压器故障往往由其他产品的故障引起；其他产品中，运动件为疲劳型故障且占比较小；配气机构为疲劳型故障，且往往引发增压器故障；机油泵故障以疲劳型故障为主，其故障也会引发增压器相关故障[84, 82]。因此，将柴油机系统简化为由增压器和子系统（剩余产品）两个产品组成的故障相关多产品系统。

假设增压器的故障规律服从威布尔分布：

$$\lambda(t) = \frac{m}{\eta}\left(\frac{t}{\eta}\right)^{m-1}$$

经统计推断可知，增压器故障分布函数中，形状参数 $m=2$，尺度参数 $\eta = 1\,000$。

子系统故障服从指数分布，且故障率 $\lambda_{sb} = 4.98 \times 10^{-4}$。

故障维修时间 $T_f = 3$ 天，平均费用 $C_{\text{fr}} = 300$ 元，单位时间平均损失 $C_d = 900$ 元/天。

在维修期内进行不完全预防性维修后，改善因子 $\alpha = 0.8$；增压器发生故障，子系统故障率 λ_{sb} 增加，相关系数 $\theta = 0.5$；子系统故障则会导致增压器立即故障，需立即对柴油机进行最小维修。预防性维修时间 $T_p = 1$ 天，费用 $C_{\text{pr}} = 100$ 元。

采用此不完全预防性维修策略，维修期内的定期预防性维修次数：
$$n = \text{int}\left[W/(T+1)\right]$$

单次故障维修期望费用：
$$C_f = 300 + 900 \times 3 = 3\,000（元）$$

单次定期不完全维修期望费用：
$$C_p = 100 + 900 \times 1 = 1\,000（元）$$

由式（6-25），计算增压器在第 j 次不完全预防性维修间隔期内的故障率：
$$\lambda_{jk}(t) = \lambda_k\left(t - (j-1)\alpha T\right)$$
$$= \frac{2}{1\,000}\frac{t - 0.8(j-1)T}{1\,000} = \frac{2}{1\,000^2}\left[t - 0.8(j-1)T\right]$$

由式（6-27），得增压器在第 j 个维修间隔期 T 内的故障次数：
$$n_{jk} = \int_{(j-1)(T+T_p)}^{jT+(j-1)T_p} \lambda_{jk}(t)\mathrm{d}t = \int_{(j-1)(T+T_p)}^{jT+(j-1)T_p}\left\{\frac{2}{1\,000^2}\left[t - 0.8(j-1)T\right]\right\}\mathrm{d}t$$

由式（6-26），得子系统在第 j 个预防性维修间隔期的相关故障率：
$$\bar{\lambda}_{jsb}(t) = \lambda_{sb}\left(t - (j-1)\alpha T\right)$$
$$+ \theta\left[\sum_{i=1}^{j} n_{ik}\lambda_k\left(t - (i-1)\alpha T\right) - \frac{1}{2}n_{jk}\lambda_k(t)\right]$$
$$= 4.98 \times 10^{-4} + 0.5$$
$$\times\left(\sum_{i=1}^{j}\left\{n_{ik}\frac{2}{1\,000^2}\left[t - 0.8(i-1)T\right]\right\} - \frac{1}{2}n_{jk}\frac{2}{1\,000^2}\left[t - 0.8(j-1)T\right]\right)$$

由式（6-28），得子系统在第 j 个预防性维修间隔期的故障次数：

$$n_{jsb} = \int_{(j-1)(T+T_p)}^{jT+(j-1)T_p} \overline{\lambda}_{jsb}(t)\mathrm{d}t$$

$$= \int_{(j-1)(T+T_p)}^{jT+(j-1)T_p} \left[4.98 \times 10^{-4} + 0.5 \times \left(\sum_{i=1}^{j} \left\{ n_{ik} \frac{2}{1\,000^2} \left[t - 0.8(i-1)T \right] \right\} \right. \right.$$

$$\left. \left. - \frac{1}{2} n_{jk} \frac{2}{1\,000^2} \left[t - 0.8(j-1)T \right] \right) \right] \mathrm{d}t$$

系统故障维修费用函数为

$$\mathrm{EC}_j(T) = (n_{jk} + n_{jsb}) C_f$$

$$= 3\,000 \times \left(\int_{(j-1)(T+T_p)}^{jT+(j-1)T_p} \left\{ \frac{2}{1\,000^2} \left[t - 0.8(j-1)T \right] \right\} \mathrm{d}t \right.$$

$$+ \int_{(j-1)(T+T_p)}^{jT+(j-1)T_p} \left[4.98 \times 10^{-4} + 0.5 \times \left(\sum_{i=1}^{j} \left\{ n_{ik} \frac{2}{1\,000^2} \left[t - 0.8(i-1)T \right] \right\} \right. \right.$$

$$\left. \left. \left. - \frac{1}{2} n_{jk} \frac{2}{1\,000^2} \left[t - 0.8(j-1)T \right] \right) \right] \mathrm{d}t \right)$$

由式（6-30），得增压器在 $\left[n(T+T_p), W \right]$ 内的故障期望次数：

$$n_{(n+1)k} = \int_{n(T+T_p)}^{W} \lambda_{(n+1)k}(t)\mathrm{d}t = \int_{n(T+T_p)}^{W} \left[\frac{2}{1\,000^2}(t - 0.8nT) \right] \mathrm{d}t$$

由式（6-31），得子系统在 $\left[n(T+T_p), W \right]$ 时间的故障期望次数：

$$n_{(n+1)sb} = \int_{n(T+T_p)}^{W} \overline{\lambda}_{(n+1)sb}(t)\mathrm{d}t$$

$$= \int_{n(T+T_p)}^{W} \left[4.98 \times 10^{-4} + 0.5 \times \left(\sum_{i=1}^{n+1} \left\{ n_{ik} \frac{2}{1\,000^2} \left[t - 0.8(i-1)T \right] \right\} \right. \right.$$

$$\left. \left. - \frac{1}{2} n_{(n+1)k} \frac{2}{1\,000^2}(t - 0.8nT) \right) \right] \mathrm{d}t$$

则系统在该时段的故障维修费用函数：

$$\mathrm{EC}\left(W - n(T+T_p) \right) = (n_{(n+1)k} + n_{(n+1)sb}) C_f$$

$$= 3\,000 \times \left\{ \int_{n(T+T_p)}^{W} \left[\frac{2}{1\,000^2}(t - 0.8nT) \right] \mathrm{d}t + \int_{n(T+T_p)}^{W} \left[4.98 \times 10^{-4} + 0.5 \right. \right.$$

$$\left. \left. \times \left(\sum_{i=1}^{n+1} \left\{ n_{ik} \frac{2}{1\,000^2} \left[t - 0.8(i-1)T \right] \right\} - \frac{1}{2} n_{(n+1)k} \frac{2}{1\,000^2}(t - 0.8nT) \right) \right] \mathrm{d}t \right\}$$

将系统在维修间隔期和在$\left[n\left(T+T_p\right),W\right]$内故障的维修期望费用代入式（6-24），可得出系统维修期内维修费用$C(T,W)$。

同理可得，增压器和子系统在第j个预防性维修间隔期内故障停机期望时间：

$$\mathrm{ET}_j\left(T\right)=\left(n_{jk}+n_{jsb}\right)T_f$$
$$=3\times\left(\int_{(j-1)(T+T_p)}^{jT+(j-1)T_p}\left\{\frac{2}{1\,000^2}\left[t-0.8(j-1)T\right]\right\}\mathrm{d}t\right.$$
$$+\int_{(j-1)(T+T_p)}^{jT+(j-1)T_p}\left[4.98\times10^{-4}+0.5\times\left(\sum_{i=1}^{j}\left\{n_{ik}\frac{2}{1\,000^2}\left[t-0.8(i-1)T\right]\right\}\right.\right.$$
$$\left.\left.-\frac{1}{2}n_{jk}\frac{2}{1\,000^2}\left[t-0.8(j-1)T\right]\right)\right]\mathrm{d}t\right)$$

增压器和子系统在$\left[n\left(T+T_p\right),W\right]$时间内故障停机期望时间：

$$\mathrm{ET}\left(W-n\left(T+T_p\right)\right)=\left(n_{(n+1)k}+n_{(n+1)sb}\right)T_f$$
$$=3\times\left\{\int_{n(T+T_p)}^{W}\left[\frac{2}{1\,000^2}\left(t-0.8nT\right)\right]\mathrm{d}t\right.$$
$$+\int_{n(T+T_p)}^{W}\left[4.98\times10^{-4}+0.5\times\left(\sum_{i=1}^{n+1}\left\{n_{ik}\frac{2}{1\,000^2}\left[t-0.8(i-1)T\right]\right\}\right.\right.$$
$$\left.\left.-\frac{1}{2}n_{(n+1)k}\frac{2}{1\,000^2}\left(t-0.8nT\right)\right)\right]\mathrm{d}t\right\}$$

将上面两式代入式（6-39），即可得出系统维修期内可用度函数$A(T,W)$。

将$C(T,W)$和$A(T,W)$代入式（6-40），得出单位时间费效比：

$$V=\frac{C(T,W)}{W}\cdot\frac{1}{A(T,W)}$$
$$=\frac{C(T,W)}{W-D(T,W)}$$

对单位时间费效比进行 MATLAB 数学仿真，结果如图 6-1 所示。

当维修期W为 1 080 天（3 年），选取单位时间费效比最小的值所对应的T，可得此时所对应的最佳维修费用、可用度、单位时间费效比为

T=120 天，W=1 080 天（3 年），$C_{\min}$=39 236 元，A=0.969 9，V=37.46。

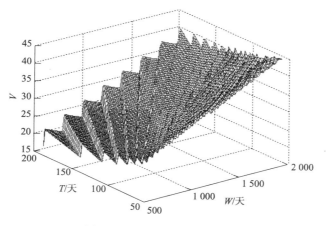

图 6-1　单位时间费效比结果

参 考 文 献

[1] 玄克诚. 新型军械装备保障能力建设评估指标体系研究[D]. 军械工程学院硕士学位论文，
2008.

[2] Headquarters Department of the Army Washington DC. FM 100-10-2. Contracting Support on the
Battlefield[S]. 1999-08-04.

[3] 黄朝峰，高建平. 军民融合发展理论与实践[M]. 北京：经济管理出版社，2017.

[4] Headquarters Department of the Army Washington DC. Army Regulation 750-1. Army Materiel
Maintenance Policy[Z]. 2007.

[5] U.S. Department of Defense. DOD Instruction 4151.20. Depot Maintenance Core Capabilities
Determination Process[S]. 2007-01-05.

[6] Department of the Navy. MCKISSOCK G.S. MCO 4000.56. Marine Corps Policy on Deepot
Maintenance Core Capabilities[Z]. 2000.

[7] 李璐，梁新. 军民融合发展历史经验研究[M]. 北京：中国财政经济出版社，2019.

[8] Ronald G. ISOM. Contractors in support of joint vision 2020 focused logistics：perspectives and
possibilities[R]. U.S. Army War College Strategy Research Project，2002.

[9] 于同刚，高鲁，郑丽珍. 装备保障社会化理论渊源及发展历程[J]. 价值工程，2014，33（21）：
3-4.

[10] US Government Printing Office FAR Subpart 46.701. Federal Acquisition Regulation on
Warranties[S]. 2005.

[11] U.S. Air Force Product Performance Agreement Center. Product Performance Agreement
Guide[Z]. 1985.

[12] Freihofer J T，Beach D S. The warranty guaranty clause：class（DD-963）shipbuilding
contract and identification of lessons learned[R]. Monterey Naval Postgraduate School，1983.

[13] Thompson K B. A study of the implementation and administration of warranties by marine corps
activities[R]. Monterey Naval Postgraduate School，1989.

[14] Reiff S K. The effects of warranty legislation on procurement[R]. Monterey Naval Postgraduate
School，1994.

[15] Wells J A. Value of warranties in Department of Defense（DOD）acquisitions[R]. U.S. Army War College，1997.

[16] US Army. Army Regulation 700-138. Army Logistics Readiness and Sustainability[S]. 2018.

[17] Ausink J，Camm F，Cannon C. Performance-based contracting in the air force：a report on experiences in the field[Z]. 2001.

[18] US Army. Army Regulation 70-1. Army Acquisition Policy[S]. 2018.

[19] US Army. Army Regulation 700-139. Army Warranty Program[S]. 1986.

[20] US Navy. Secnav Instruction 4330.17. Navy Policy on Use of Warranties[S]. 1987.

[21] US Navy. Navair Instruction 13070.7. Policy Guidance for Warranty Application of Naval Aviation Systems Team Weapon System Procurements[S]. 1999.

[22] 刘军. 军事装备保障外包研究[D]. 国防科学技术大学硕士学位论文，2006.

[23] Camm F. Strategic sourcing in the air force [C]//Khalilzad Z，Shapiro J. Strategic Appraisal：United States Aviation and Space Power in the 21 Century. Santa Monica：RAND，2002：397-435.

[24] Forbes J A. Deciding between public and private providers of high technology commercial-like activities：the case of weapon system depot maintenance[D]. Ph D. Dissertation of the George Washington University，2001.

[25] Huang H Z，Liu Z J，Murthy D N P. Optimal reliability，warranty and price for new products[J]. IIE Transactions，2007，39（8）：819-827.

[26] Wu C C，Chou C Y，Huang C K. Optimal burn-in time and warranty length under fully renewing combination free replacement and pro-rata warranty[J]. Reliability Engineering & System Safety，2007，7（92）：914-920.

[27] Kallen M J，Nicolai R P，Farahani S S. Superposition of renewal processes for modelling imperfect maintenance[J]. Reliability，Risk and Safety：Theory and Applications，2010，（1）：629-634.

[28] Chien Y H. Determining optimal warranty periods from the seller's perspective and optimal out-of-warranty replacement age from the buyer's perspective[J]. International Journal of Systems Science，2005，36（10）：631-637.

[29] Matis T I，Jayaraman R，Rangan A. Optimal price and pro rata decisions for combined warranty policies with different repair options[J]. IIE Transactions，2008，40（10）：984-991.

[30] Wee M Y，Xue M Y. Optimal inventory policy for products with warranty agreements[J]. IEEE，2007，7：1838-1843.

[31] Yeh R H，Chen M Y，Lin C Y. Optimal periodic replacement policy for repairable products under free-repair warranty[J]. European Journal of Operational Research，2007，176（3）：1678-1686.

[32] Chen C H. Economic production run length and warranty period for product with weibull lifetime[J]. Asia-Pacific Journal of Operational Research，2008，25（6）：753-764.

[33] Yeh R H，Chen G C，Chen M Y. Optimal age-replacement policy for nonrepairable products under renewing free-replacement warranty[J]. IEEE Transactions on Reliability，2005，54（1）：92-97.

[34] Mamer J W. Cost analysis of prorata and free-replacement warranties[J]. Naval Research Logistics Quarterly，1982，29（2）：345-356.

[35] Liu Z J，Huang H Z，Murthy D N P. Optimal reliability and price choices for products under warranty[J]. IEEE，2006，6：146-151.

[36] Murthy D N P，Nguyen D G. Study of two-component system with failure interaction[J]. Naval Research Logistics Quarterly，1985，32（2）：239-247.

[37] Murthy D N P，Nguyen D G. Study of a multi-component system with failure interaction[J]. European Journal of Operational Research，1985，21：330-338.

[38] Bai J，Pham H. Discounted warranty cost of minimally repaired series systems[J]. IEEE Transactions on Reliability，2004，53（1）：37-42.

[39] Bai J，Pham H. Cost analysis on renewable full-service warranties for multi-component systems[J]. European Journal of Operational Research，2006，168（2SI）：492-508.

[40] Balachandran K R，Maschmeyer R A. Product warranty period：a markovian approach to estimation and analysis of repair and replacement costs[J]. The Accounting Review，1981，56（1）：115-124.

[41] Jack N，Dagpunar J S. An optimal imperfect maintenance policy over a warranty period[J]. Microelectronics Reliability，1994，34（3）：529-534.

[42] Chun Y H. Optimal number of periodic preventive maintenance operations under warranty[J]. Reliability Engineering & System Safety，1992，37（3）：223-225.

[43] Yeh R H，Lo H C. Optimal preventive-maintenance warranty policy for repairable products[J]. European Journal of Operational Research，2001，134（1）：59-69.

[44] 杨艳妹. 基于延迟时间的检测保修建模与优化[D]. 石家庄铁道大学硕士学位论文，2019.

[45] 卢兴华，张桦. 美军合同商保障的主要做法和基本经验[R]. 军械工程学院，2006.

[46] QRMS 情报跟踪小组. QRMS 维修情报跟踪[R]. 军械工程学院，2009.

[47] OMB Memorandum. The Federal Acquisition Certification for Contracting Officer's Technical Representatives[Z]. 2007.

[48] OFPP Memorandum. Supplemental Emergency Contracting Cadre[Z]. 2007-07-30.

[49] 总装科技研究中心. 欧洲主要国家合同商保障研究[R]. 内部材料，2009.

[50] 张英志. 高新武器装备军民一体化保障模式研究[D]. 哈尔滨工业大学硕士学位论文，2005.

[51] 邹小军. 军地一体化装备维修保障模式研究[D]. 国防科学技术大学硕士学位论文，2007.

[52] 蔡丽影. 新型通用装备军民一体化装备维修保障研究[M]. 北京：军事科学出版社，2015.

[53] 肖杰. 信息化装备军民一体化保障研究[D]. 装甲兵工程学院硕士学位论文，2009.

[54] 中国人民解放军总装备部. 中华人民共和国国家军用标准 GJB 5711—2006 装备质量问题处理通用要求[S]. 2006-05-17.

[55] 史宪铭. 系统科学与方法论[M]. 北京：兵器工业出版社，2017.

[56] 钟永光，贾晓菁，钱颖. 系统动力学[M]. 2 版. 北京：科学出版社，2019.

[57] 王明礼，王通信. 外军后勤理论与实践[M]. 北京：军事科学出版社，2001.

[58] 顾凯平，霍再强，侯宁，等. 系统科学与工程导论[M]. 北京：中国林业出版社，2008.

[59] 徐绪森. "发展军民两用维修技术 提高装备维修保障能力"学术研讨会论文集[M]. 北京：解放军出版社，2008.

[60] 石全，王立欣，史宪铭，等. 系统决策与建模[M]. 北京：国防工业出版社，2016.

[61] 左洪福，蔡景，吴昊，等. 航空维修工程学[M]. 北京：科学出版社，2018.

[62] 舒正平，李忠光，张永东，等. 试验装备军民融合维修保障模式研究[J]. 装备学院学报，2015，26（1）：116-120.

[63] Ait-Kadi D，Duffuaa S O，Knezevic J，et al. Handbook of Maintenance Management and Engineering[M]. London：Springer，2009.

[64] 中国人民解放军总装备部. GJB 9001B—2009 质量管理体系要求[S]. 2009-12-22.

[65] 李鹏举. 新装备合同商保障决策研究[D]. 军械工程学院硕士学位论文，2011.

[66] 侯著荣. 装备寿命周期价格结构模型研究[D]. 军械工程学院硕士学位论文，2004.

[67] 蔡丽影. 装备合同商保障若干关键问题研究[D]. 军械工程学院博士学位论文，2011.

[68] 曹小平，林晖. 装备维修经济学[M]. 北京：经济科学出版社，2005.

[69] 陈智勇. 新型装备维修保障费用的早期预测方法研究[D]. 军械工程学院硕士学位论文，2000.

[70] 唐长红，段卓毅，李青. 航空武器装备经济性与效费分析[M]. 北京：航空工业出版社，2018.

[71] 中国人民解放军总装备部. 中华人民共和国国家军用标准 GJBz 20517—1998 武器装备寿命周期费用估算[S]. 1998-08-03.

[72] 单志伟，叶红兵，曹军海，等. 使用与维修工作分析与保障资源需求确定[J]. 装甲兵工程学院学报，2001，15（1）：71-76.

[73] 王树鹏. 设备寿命周期费用研究及其应用[D]. 南京航空航天大学硕士学位论文，2007.

[74] 陆凯. 无人战斗机系统及其全寿命周期费用研究[D]. 西北工业大学博士学位论文，2002.

[75] 王铭哲. 老化型设备在有限时间区域内之不完全预防维护政策[D]. 朝阳科技大学硕士学位论文，2003.

[76] 贾希胜. 以可靠性为中心的维修决策模型[M]. 北京：国防工业出版社，2007.

[77] Barlow R E，Proschan F. Mathematical Theory of Reliability[M]. New York ： John Wiley & Sons，1965.

[78] Cai J，Zuo H F，Lu D F. Availability simulation of multi-component system based on opportunistic maintenance policy[J]. Transaction of Nanjing University of a Eronautics & a Stronautics，2009，26（3）：219-223.

[79] 左洪福，蔡景，王伟华，等. 维修决策理论与方法[M]. 北京：航空工业出版社，2008.

[80] Li H，Xu S H. On the coordinated random group replacement policy in multivariate repairable systems[J]. Operations Research，2004，52（3）：464-477.

[81] Xie M. On the solution of renewal-type integral equations[J]. Communications in Statistics-Simulation and Computation，1989，18（1）：281-293.

[82] 王禄超. 预防性保修策略下的高新装备保修期研究[D]. 军械工程学院硕士学位论文，2010.

[83] Sun Y，Lin M，Mathew J. Failure analysis of engineering systems with preventive maintenance and failure interactions[J]. Computers & Industrial Engineering，2009，57（2）：539-549.

[84] 高萍. 基于可靠性分析的复杂设备预防性维修决策研究[D]. 清华大学博士学位论文，2008.